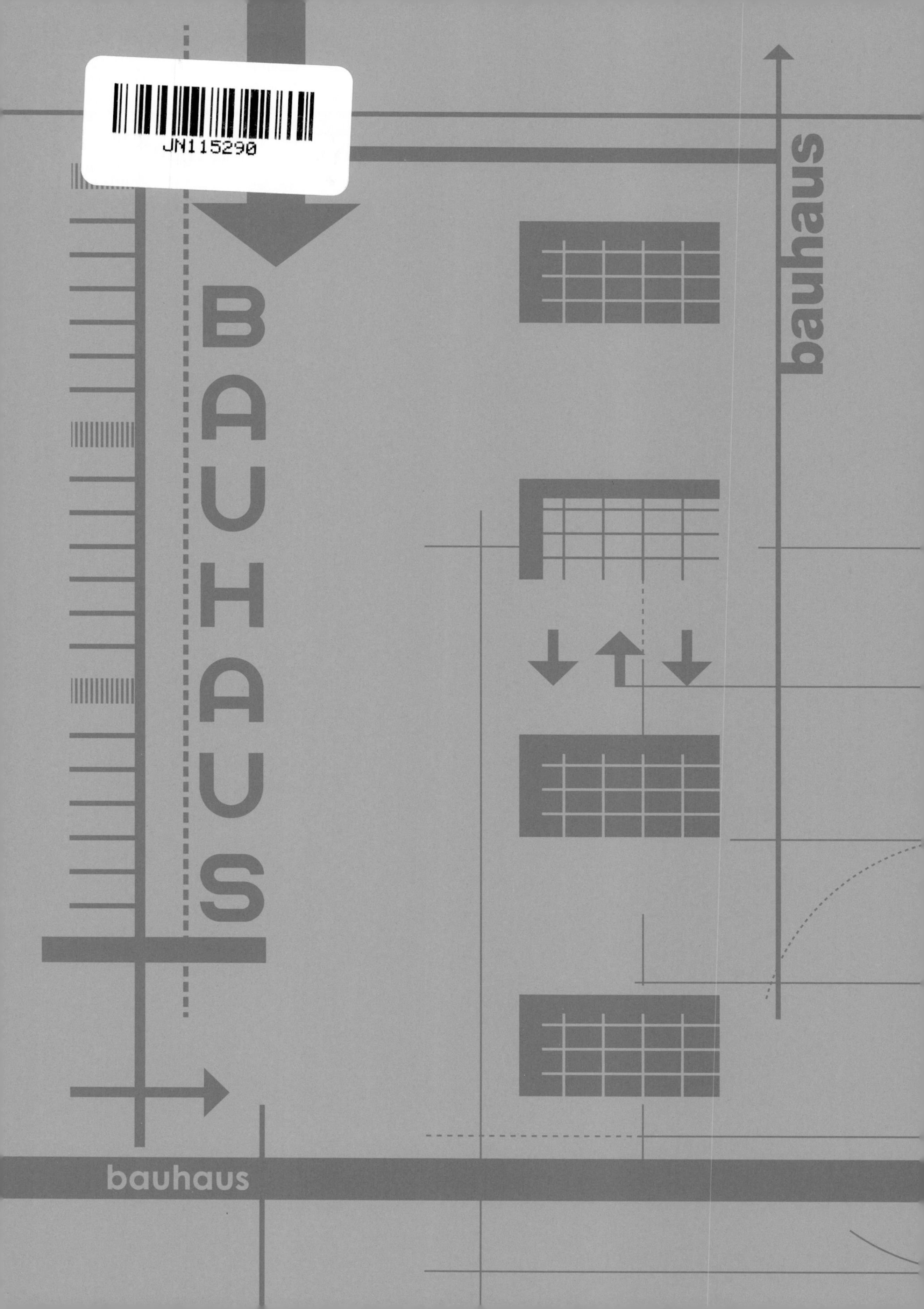
BAUHAUS
bauhaus
bauhaus

もっと知りたい

バウハウス

杣田佳穂 著

東京美術

バウハウスとは何だったのか？

今から100年ほど前の1919年、第一次世界大戦で敗戦したばかりのドイツに、小さな学校が誕生した。全学生150人あまりで、たった14年間しか続かなかった学校だ。しかし、この学校の試みはモダンデザインの源流となって世界に浸透し、彼らの作品はミュージアム・ピースとなって美術館に収められている。

造形学校バウハウス。デザイン、建築などに関心のある人のほとんどが、この名前を知っている。開校100年となる2019年には、世界中で展覧会や講演会、書籍の出版、新聞や雑誌の特集などが相次ぎ、バウハウスの功績をたたえた。

しかし、結局、バウハウスとは何だったのだろうか？　実際のところ、バウハウス好きを標榜しても、この学校について、ぼんやりとしたイメージしか持っていない人は多い――機能主義のクールなスタイルをつくったエリート集団？　工業デザインに取り組んだ学校？　バウハウスは、曖昧なイメージで賞賛され、あるいは批判されてきた。この学校の14年間は、これらのイメージだけで理解してしまってよいのだろうか？

バウハウスは、たしかに、

●学校だった。建築を最終目標に、諸芸術を統合しようとした。

●社会に積極的に関わり、工業のための原型をつくって社会を変えていく人材を養成しようとした。

それだけではない。

バウハウスは壮大な「試行」だった。

実践的というよりも、もっと根源的な問題に迫ろうとした。造形の本質とは何か、かたちと色彩の根本原理、そして「人間」という存在を多角的に捉える眼差しを得ようとした。特効薬、即効性、効率性といったものにあえて目をつぶって、時間をかけた。創設者・学長のヴァルター・グロピウスは成果を急かさなかったように思う。彼はどんな実験でも支援した。失敗を恐れなかった。やらなければ知り得ないことを重視した。それは、「考え方を考える」という試行だったからだ。ワシリー・カンディンスキーやパウル・クレーといった、時代を代表するような芸術家がバウハウスに招聘されたのは、この途方もない試行のためだったのだ。

実は、「バウハウスはスタイルではない」とグロピウスは言い続けた。誤解され続けたことを示している。彼らがつくり出したデザインがそれほど人目を引き、模倣の対象となったからだが、彼ら自身は社会、素材、技術が変わることで当然デザインも変わると考えていた。彼らがつくろうとしたのは、スタイルではなく、どうデザインするかというプロセスだった。造形の本質に迫るのも、時代が変わり、科学技術が発展しても変わらない部分だからだ。そして、そのアプローチができる人材を養成するための新たな教育方法をも、つくろうとした。

バウハウスの財産は人(教師たち)であり、成果もまた人(学生たち)なのだ。教師たちは自分の考えを全力で教え、学生はそれを鵜呑みにするのではなく、検討し、時に議論して自分の考えを育てた。意見なき模倣は恥ずべきものとされた。学生たちは一人ひとりが、自分のバウハウスをつくり上げて社会に飛び立った。

新しい学校をつくろうというグロピウスの試みは、試行錯誤を続けながら壮大な実験となった。14年間ずっと同じだったのではなく、揺れ続けたが、グロピウスがめざした本質の追求を理解し、守ろうとする人が、たしかにいた。

バウハウスにはいろいろな側面があり、さまざまな想いと、アイデアと実験と失敗と発展と葛藤と障害と、そして議論があった。そこに今なお私たちを惹きつける何かがある。そのほんの一部を、これから紹介しよう。バウハウスが、いったい何であったのか、一人ひとりが考えることが必要なのだ。なぜなら、バウハウスは完結したプロジェクトではなく、未完のまま、バトンを私たちに渡しているのだから。

杣田佳穂

ヴァイマール・バウハウス校舎階段室。バウハウスの前身のザクセン大公立美術工芸学校を設立したアンリ・ヴァン・デ・ヴェルデの設計による。壁画は1923年にオスカー・シュレンマーによって制作されたもの。すぐに破壊されたが1979年に再現された。

デッサウ・バウハウス校舎工房棟。初代学長ヴァルター・グロピウスの設計で1926年に完成した。ガラスのカーテンウォールは、デッサウ校舎の象徴ともいえる。

back contents

ウラ >> 作品から読む

特集 バウハウスのデザインの秘密

column

＊建築物を含め、作品は《 》で表記し、名称は所蔵先の定めたもの、慣例に従いました。
＊書籍名は『 』で表記しました。
＊作品情報は、原則として作者名、作品名、制作年、技法、材質、サイズ（縦／高さ×横／幅×奥行cm）、所蔵先の順で掲載しています。
＊掲載した芸術家の言葉は、原則として引用元の表記にしたがい、訳者名の記載がないものは、著者の訳としました。
＊掲載した芸術家の言葉の付近に、引用元を明記しています。

bauhausbauhausbauhausbauhausbauhausbauhausbauhausbauhausbauhausbauhausbauhausbauhausbauhausbauhausbauha

front contents

オモテ >> 歴史から読む

KEYWORD

1drei orte, drei direktoren

2das manifest des bauhauses

3lehrplan

4werkstatt

5meister

10のキーワードで知るバウハウス

バウハウスはひとつの学校にして、ひとつの方向性、そしてひとつの運命共同体だった。

6bauhausausstellung 1923

7zusammenarbeit mit der industrie

8jungmeister

9das neue ästhetische bewußtsein

10versuchergeist

3つの土地と3人の学長

たった14年間しか存在しなかったバウハウスだが、この短い期間をひと言で語るのは難しい。試行錯誤の日々だったからだ。新しい造形教育とデザインをめざして、バウハウスは柔軟にシステムを変えた。また、第一次世界大戦直後に開校し、ナチスが台頭する不穏な社会情勢の影響を受け続けた。新しいことに取り組む前衛的な学校だったために、多くの人には理解されず、敵が多かったということもある。そのため、バウハウスは2度の移転によって3つの土地で活動した。また、3人の学長によっても方向は変化した。バウハウスは、この土地と学長による時代区分で説明されることが多い。

ヴァイマールの時代は、学校としての体制がまだ確立せず、自由でユートピアを志向する風潮が強かった。また、初期には表現主義

1919

ヴァイマール

ヴァルター・グロピウス

4月、ザクセン大公立美術工芸学校と同美術アカデミーを併合した新しい学校として「ヴァイマール国立バウハウス」が開校。

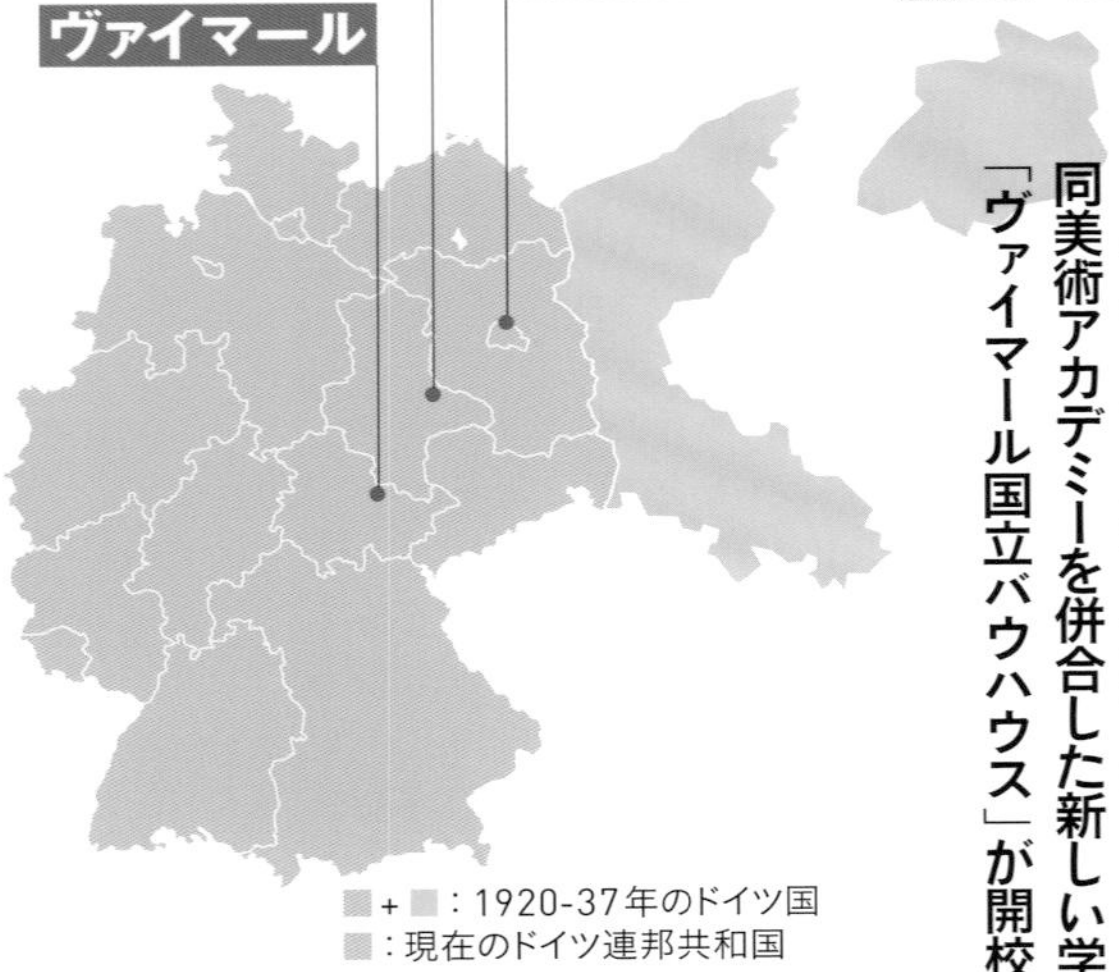

1923

バウハウス展開催

8月15日～9月30日まで、バウハウスの成果を世に示すために開催され、世界中から1万5000人もの見学者が訪れた。展覧会のために建設された実験住宅が注目を集める。

1925

デッサウ

10月、ヴァイマールからデッサウに移転し、「デッサウ市立バウハウス」として仮校舎で開校。

バウハウスの最初の校章。1919-22年まで使用された。

drei orte, drei direktoren

の影響が色濃く、強烈な色彩や激しい線がみられ装飾的でもあったが、1922年頃に学長ヴァルター・グロピウスが「工業との連携」を打ち出し、翌23年のバウハウス展において新しいスローガン「芸術と技術、新しい統一」を発表、工業デザインへと大きく舵を切った。

デッサウ時代は、さまざまな試みが実を結び、企業との協働が実現した。優秀な学生がユングマイスターとして教授陣に加わり、1926年には単科大学として認可された。2代目学長ハンネス・マイヤーの時代は社会性が強く意識されるが、共産主義者として知られるマイヤーは突然解雇される。3代目の学長となったルートヴィヒ・ミース・ファン・デル・ローエは経済的な理由から学校を縮小し、建築学校の様相が強まった。

デッサウ市議会でバウハウスの閉校が決まると、ミースらはベルリンに移り学校を再開した。しかしナチスの干渉を免れず、教師によって閉校が決定されたのだった。

ベルリン

ルートヴィヒ・ミース・ファン・デル・ローエ　ハンネス・マイヤー

1926

10月、造形大学として承認され、ディプロム（大学卒業資格）を出すことができるようになる。

12月、グロピウスによる新校舎落成

1928

マイヤーが学長に就任

1930

8月、学長のマイヤーが突然解雇される。

10月、ミースが学長に就任する。

1932

8月、デッサウ市議会で閉校が決定される。

10月、私立バウハウスがベルリンで再開される。

1933

1月、ヒトラー内閣発足

4月、校内に強制捜査が入り、校舎が封鎖される。

7月、教授会がバウハウスの閉鎖を決定

オスカー・シュレンマーによる国立バウハウスの校章。中央の横顔は1922年から閉校まで使用され続けた。

関連ページ　P46 バウハウス展 1923年、P48 工業との連携、P53 ユングマイスター

ヴァルター・グロピウス
walter gropius

芸術教育の刷新をめざした初代学長

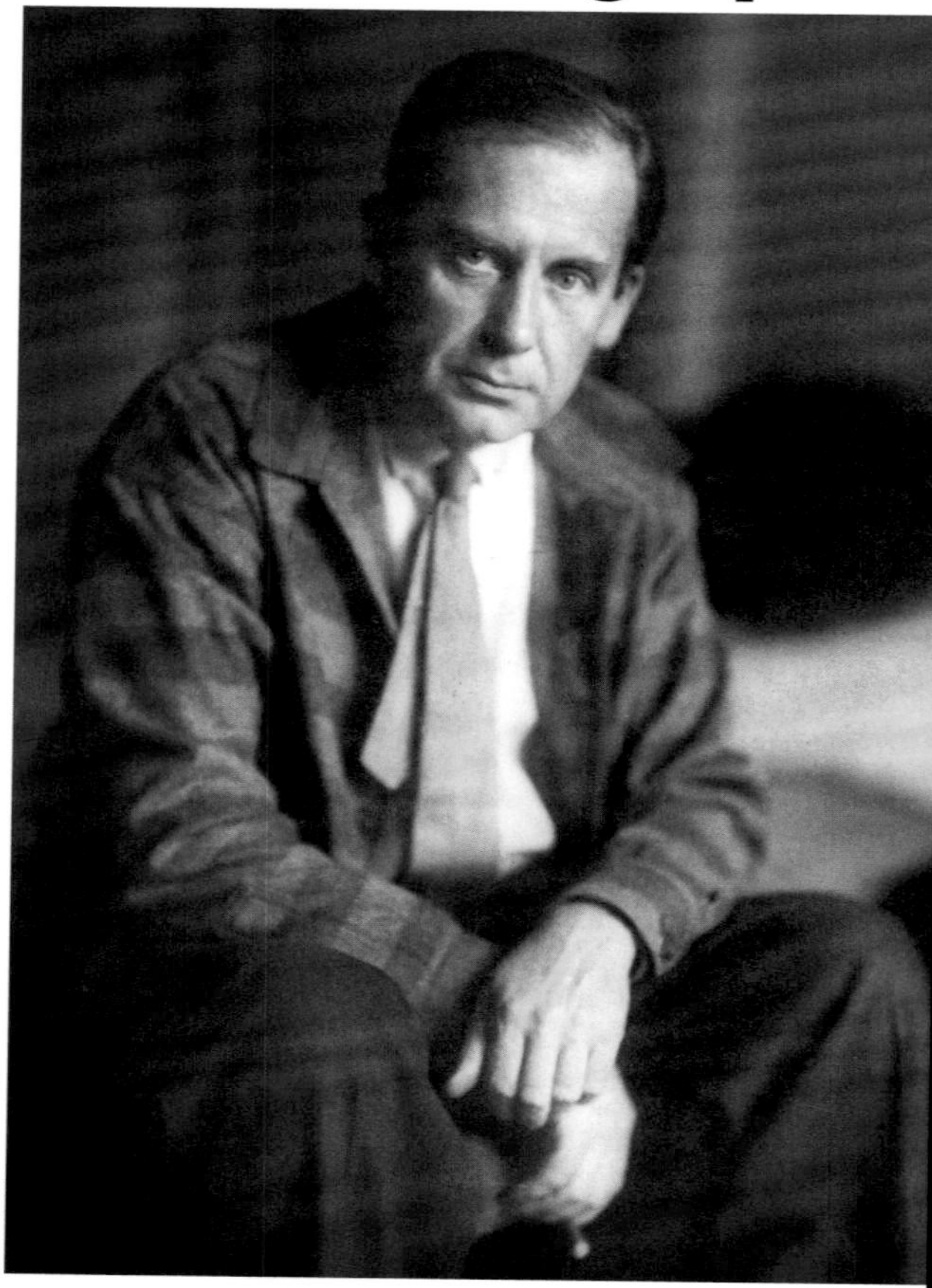

ベルリンに生まれる。1903年よりミュンヘン工科大学で建築を学ぶ。1908年から10年まで、ペーター・ベーレンスの事務所に助手として勤務し、その後、独立する。1925年までアドルフ・マイヤーと協働。1910年、ドイツ工作連盟のメンバーとなる(1911年の説も。ドイツ工作連盟の記録では1912年)。1911年、ファグス靴型工場を設計。1913-14年、ケルンの工作連盟展のためにモデル工場と事務所を設計する。1914年から18年まで従軍。1918年、芸術労働評議会と「11月グループ」のメンバーとなる。1919年、ザクセン大公立美術工芸学校と同美術アカデミーの学長としてヴァイマールに招聘され、学校名を「バウハウス」に定める。1925年、バウハウスはデッサウ市に移転。校舎とマイスター用住宅を設計する。1926年よりデッサウのテルテンにジードルンク(住宅団地)を建設。1928年、学長を辞任し、ベルリン、ロンドンで活動後、1937年に渡米。ハーバード大学で建築学部の教授となる。1937-41年、マルセル・ブロイヤーと共同で建築事務所を開く。1946年、若手建築家たちの建築事務所TAC(The Architects Collaborative)に参加。1969年、7月5日ボストンで死去。

1883年ベルリン(ドイツ)生まれ
1969年ボストン(アメリカ)で死去
学長在籍期間 **1919-1928**

新しい時代と社会のためのデザインをゼロからつくる

グロピウスがバウハウスの学長になったのは、36歳の誕生日を迎えるひと月前のことだった。彼は1911年のファグス靴型工場、1913年のモデル工場の設計で既に注目を集める若手の建築家だった。1915年、バウハウスの前身のザクセン大公立美術工芸学校を設立し同校学長を務めていたアンリ・ヴァン・デ・ヴェルデが、自らの後継者候補のひとりとしてグロピウスを推薦したことから、この物語はスタートする。グロピウスはオファーに熱心に取り組み、アカデミーに代わる全く新しい造形教育の思想をまとめ、内閣と交渉した。第一次世界大戦をはさんで1919年4月にグロピウスは新しい学校の学長となり、それを「バウハウス」と命名した。

彼は諸芸術がバラバラに存在し教育されるのではなく、建築を最終目標にそれらすべてを統合することと、社会と積極的に関わっていく芸

ヴァルター・グロピウスとアドルフ・マイヤー

右上／**《ファグス靴型工場》**1911年

2011年に世界遺産に登録された。

左上／**《シカゴ・トリビューン・タワー》コンペ案**　1922年

展覧会カタログ『ヴァイマール国立バウハウス1919-1923』所収

左／**《ドイツ工作連盟展モデル工場》**1913年

術家を養成することを謳った。それは手探りのスタートだった。グロピウスの考えに賛同してくれる新進の芸術家たちが、次々にバウハウスに加わった。新しい時代、新しい社会のためのデザインを、ゼロからつくっていくこと。そのためには芸術教育の刷新が必要だったのだ。全く新しい試みであったので、一般にはなかなか理解されず、バウハウスには敵が多かった。静かな生活を好む保守的なヴァイマールの人々は、1919年にはもう既に反バウハウス集会を開いている。元ヴァイマール美術アカデミーの教授たちとの軋轢、ドイツ人民党の執拗な攻撃。それだけではない。バウハウス内部でのいざこざや意見の違いなど、教育活動を軌道に乗せるためには、グロピウスはそれらすべてに学長として対応しなければならなかった。彼は、粘り強く説明し、批判に反論し、意見を表明し、仲裁し、意見をまとめ続けた。1928年にハンネス・マイヤーに学長を任せて学校を去るまで、彼はバウハウスという全く新しい共同体の中心としてこの学校をつくり続けた。

　マイスターと呼ばれた教師たちは、意見が異なっていても、彼の進む道を信じた。リオネル・ファイニンガーはバウハウスには動いている力が確かにあると語った。オスカー・シュレンマーは1923年6月の日記の中でバウハウスをこう述べた。「バウハウス独自の組織は、その指導者の人格に具体的に表われている。すなわち、いかなるドグマにも盲従することなく、すべての新しいもの及びこの世界でうごめいている今日的なものに対して、鋭敏さと誠意とをもってこれを同化し、同様にまた、誠意をもって全体を安定させ、その共通分母をつくり出し、法典をつくることである」と。

ハンネス・マイヤー
hannes meyer

基礎教育課程を拡充した2代学長

1905-09年、バーゼルの職業学校で煉瓦工及び石工の修業。1909-12年、ベルリンで働きながら工芸学校で学ぶ。1912-13年、イギリスで都市計画等を学び、1916-18年、エッセンの福祉事務所で働いたのち、1919年からバーゼルで建築家として活動。1926-29年、ハンス・ヴィトヴァーと協働。1926年、ジュネーヴの国際連盟事務局の建築競技で彼の設計案が入選する。「ペータースシューレ」コンペ案（1926-27年）。1927年にバウハウスに招聘され、建築部門で教える。1928-30年、バウハウスの学長を務めるとともに建築部門の主任となる。ベルリン近郊ベルナウにドイツ労働組合総連合（ADGB）の連合学校を設計（1928-30年）。同年、グロピウスから引き継いだテルテンの住宅団地の建設を行なう。1930年に政治的理由でバウハウスを解任されたのち、ソ連に渡り、モスクワの建築大学WASI等で教授を務めたほか、ソ連の都市計画に携わる。1936年にスイスに戻り、ジュネーヴで都市計画に関する仕事を行なう。1940-49年、メキシコ政府の招聘により、国立技術大学付属都市計画研究所所長に就任、都市計画家として活動。1949年、スイスのクロチフィッソ・ディ・サヴォサに移る。1954年7月19日、同地で死去。

1889年バーゼル（スイス）生まれ
1954年クロチフィッソ・ディ・サヴォサ（スイス）で死去
教師在籍期間 **1927-1930年**　担当：**建築部門**
学長在籍期間 **1928-1930年**

美を否定し、科学的な視点でバウハウスの再構築をめざした

ハンネス・マイヤーは1927年にバウハウスに招かれ、ようやく設置された建築部門で教鞭をとった。前年のジュネーヴ国際連盟事務局の設計コンペティションに入選した彼のプランをグロピウスが高く評価したことがきっかけとなった。翌年グロピウスの退陣とともにマイヤーが学長を引き継いだが、マイヤーはグロピウスとはかなり考え方が違っていた。これまでのグロピウスのやり方を批判し、バウハウスを大幅に組み替えようとしたのだ。彼はバウハウスに社会的な視点を持ち込み、学生たちに、現在の社会をよく見るよう促した。それによって、マイヤーの時代の各工房では、低賃金の労働者の住まいに適した、より低コストで、狭い居住空間でも使いやすいデザインが前にも増して追求された。マイヤーの意向で、この時期にはデザイナーの名前は公表されず、ただ

左／**ハンネス・マイヤーとハンス・ヴィトヴァー《ADGB連合学校》**1928-30年
ADGB（ドイツ労働組合総連合）による設計コンペで首位となり、ベルリン近郊ベルナウに建てられた研修用施設。雁行する5棟の宿舎や体育館、ホールや人工池を備えている。
右／**ハンネス・マイヤー《テルテン・ジードルンク 外廊下型集合住宅》**1928-30年
グロピウスがデッサウ市から受注し3000戸余りの住宅を建設したジードルンク（住宅団地）を引き継いで、マイヤーは突き出た階段室から外部の通路を通って各戸に入る外廊下型の18戸のアパートメント5棟を設計した。

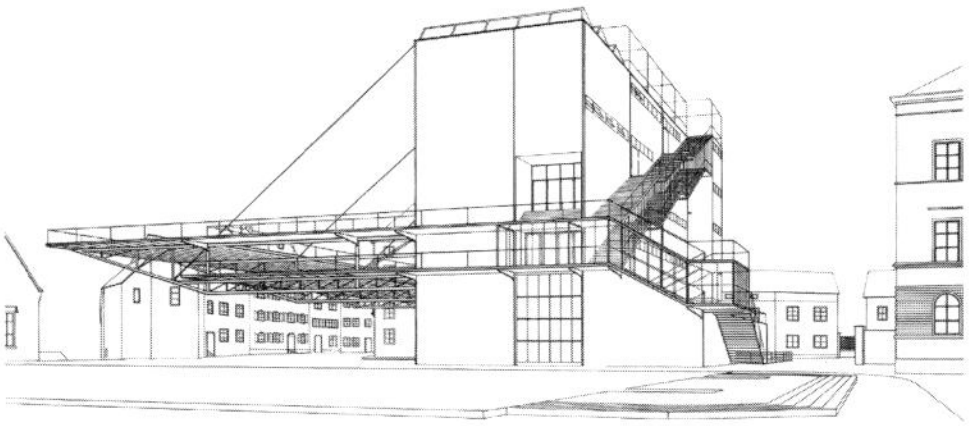

左／**ハンネス・マイヤーとハンス・ヴィトヴァー《ペータースシューレ》コンペ案**　1926-27年
1926年に行なわれたバーゼルの女子小学校の設計競技への応募案。敷地は周囲を高い建物によって囲まれており、暗く、換気が悪い上、面積も小規模だった。そこでマイヤーは、学校自体を日照や換気状況のよい位置まで可能な限り持ち上げることを提案した。1階には主に体育館が配置され、敷地の残りの部分が公の交通や駐車のために解放される。そして、運動場の代わりに、2枚のプレイエリアと建物の水平な屋根の部分が利用されるという大胆なプランだった。

学校の名と工房名だけが記された。

また、マイヤーは都市計画と写真のクラスを新たに設けるとともに、バウハウスに科学的基盤を与えるために、基礎教育の課程を拡充し外部講師を大幅に増やそうとした。その一方で、マイヤーは美を徹底的に否定し、バウハウスの教育に科学を持ち込む代わりに芸術的な側面を一掃していこうと計画していた。

しかし、これらの計画は完成することなく終わった。マイヤーの政治的思想がバウハウスの存続にとって危険であるとのデッサウ市の判断によって、1930年8月1日に学長職を解雇されたからだ。

マイヤー時代は、ヴァイマールからのさまざまな試行錯誤が実を結び、多くの工房で外部企業と提携して量産が実現されるなど大きな成果をあげた時期であった。さらにマイヤーはとりわけ建築部門の専門教育を体系づけ、教師を増やしてカリキュラムを充実させた。しかし、バウハウスの教育全体としてみると、理論と科学に偏り、短期間の業績にこだわったために、バウハウスが従来持っていた、造形教育の可能性を開くための試行錯誤の面は失われる方向にあった。

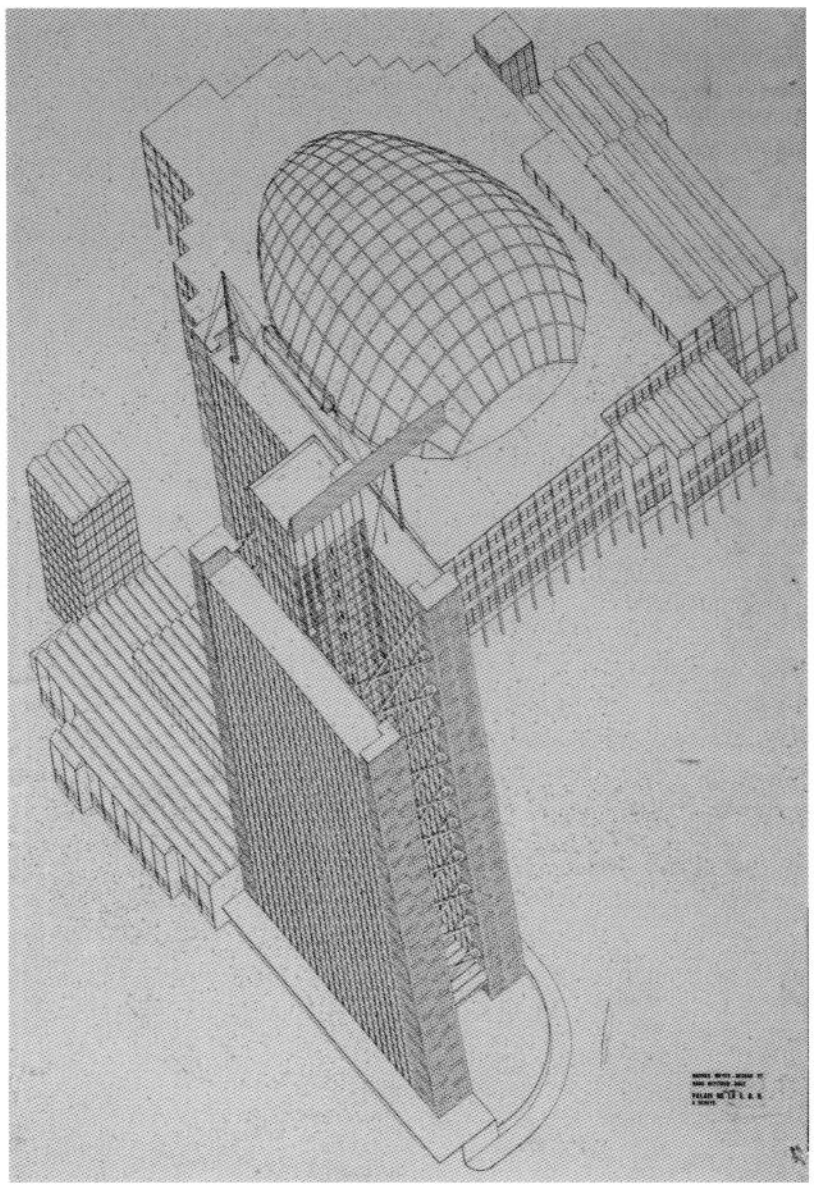

ハンネス・マイヤー《ジュネーヴ国際連盟ビル》コンペ案　1926-27年

関連ページ　P20 工房

ルートヴィヒ・ミース・ファン・デル・ローエ
ludwig mies van der rohe

バウハウスの終焉を見届けた3代学長

1886年、アーヘンに石工の息子として生まれる。1904-07年、ブルーノ・パウルの建築事務所、1908-11年、ペーター・ベーレンスの事務所に勤務し、その後建築家として活動する。「フリードリヒ街オフィスビル」コンペ(1921年)、「ガラスのスカイスクレーパー案」(1922年)などにより注目される。1923年、ハンス・リヒターらと前衛芸術のための雑誌『G』を出版する。1927年、ドイツ工作連盟副議長として、シュトゥットガルトのヴァイセンホーフでの住宅展を企画する。1929年、バルセロナ万国博覧会でドイツ館を設計する。1930-33年、バウハウスの学長。1938年、シカゴに移住し、1958年までアーモア研究所(のちにイリノイ工科大学)の建築学部長となる。クラウンホール(1950-56年)をはじめとしたイリノイ工科大学の校舎群を設計する。また、シカゴのレイクショア・ドライブ・アパートメント(1948-51年)やファンズワース邸(1945-51年)、ニューヨークのシーグラムビル(1954-58年、P.ジョンソンと協働)、ベルリンの新国立ギャラリー(1962-68年)など、近代の代表的建築物を多く手掛けた。MRチェアや、バルセロナチェアなど、家具のデザインでも知られる。1969年、シカゴで死去。

1886年 アーヘン(ドイツ)生まれ
1969年 シカゴ(アメリカ)で死去
学長在籍期間 1930-1933年

不況とナチスの台頭 厳しい闘いを強いられたベルリンのバウハウス

ハンネス・マイヤーに代わり、3代目の学長となったルートヴィヒ・ミース・ファン・デル・ローエは、着任早々、バウハウスの不穏な政治分子を厳しく一掃し、慎重に新学期をスタートさせた。当座はマイヤーのカリキュラムを踏襲しようとしたが、不景気の影響は大きかった。ミースは大幅に削減された予算の中で、支出を切り詰め、工房での生産をあきらめて講義に重点を移しながら縮小し、建築の比重を高くするしかなかった。

しかし、その努力も報われなかった。ナチスの台頭によりデッサウ市議会でもナチス党員の割合が大きくなり、1932年10月1日以降のバウハウスの授業を打ち切り、全教師陣を解雇するという決定が下されたのだ。そしてデッサウのバウハウスは閉校となった。

ミースは直ちに教師の大部分と学

ルートヴィヒ・ミース・ファン・デル・ローエ《ファンズワース邸》 1951年
ガラスで囲われた内部空間は、キッチン、浴室、トイレがコンパクトに収められた自由なワンルーム。柱は外側に配置されており、内部からは柱は見えない。

バルセロナ・パヴィリオン平面図

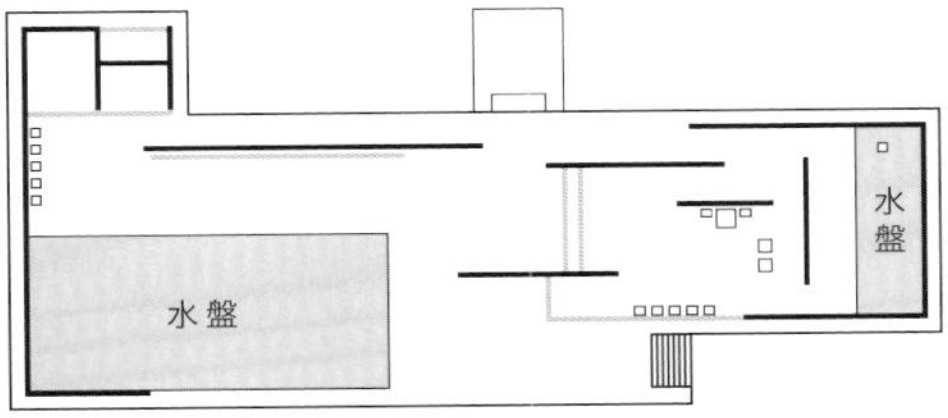

ルートヴィヒ・ミース・ファン・デル・ローエ
《バルセロナ・パヴィリオン》 1929年
※写真は1986年に復元されたもの
バルセロナ万国博覧会で従来の展示館とは別にスペイン国王を迎えるために設けられた施設。ミースは制約なしに全く新しい空間構成を試すことができた。トラバーチン、大理石とガラスによる独立した壁面が建物の内と外を分けず、あいまいにつないでいる。

生らを連れてベルリンに移った。同年10月18日には、ベルリン南西部のシュテーグリッツに、「自立した教育及び研究のための研究所」としてバウハウスを再建させた。旧電話機会社がバウハウスの新しい校舎だった。建築、インテリア、織物、壁画、広告と写真のクラスが設けられ、1932年冬学期が始まった。しかし、1933年1月30日にヒトラーがドイツの首相に就任すると、もはや私立の学校でも自由な活動はできなかった。同年4月11日に、バウハウスは警察やナチ突撃隊による強制捜査を受け、違法な文書を押収したという偽の名目で、校舎は封鎖されてしまう。ミースは当局に何度も赴き、教育活動を再開する許可を得ようとするが叶わず、7月19日の教授会で解散を提案し、決定した。その前後に届いた学校再開条件は、カンディンスキーらを教授からはずすほか、ナチスへの入党を強い、授業内容にも干渉する内容で、到底受け入れられるものではなかった。

バウハウス宣言

建築を中心に据えた芸術活動を統合するマニフェスト

1919年4月、質の悪い2つ折りの色紙に印刷された学校案内がドイツ各地に配られた。造形学校「ヴァイマール国立バウハウス」が、2つの学校——ザクセン大公立美術工芸学校と同美術アカデミー——を併合して新設されることを伝える資料であり、学校の要項とともにグロピウスによるマニフェストが掲載された。

「すべての造形活動の最終目標は建築である!」という言葉で始まるこの「バウハウス宣言」で、グロピウスは、建築を中心にあらゆる芸術活動を統合すること、手工作を重視することをあげ、皆の共同作業によって「未来の新しい大聖堂」をつくり上げようと呼びかけている。表紙のリオ

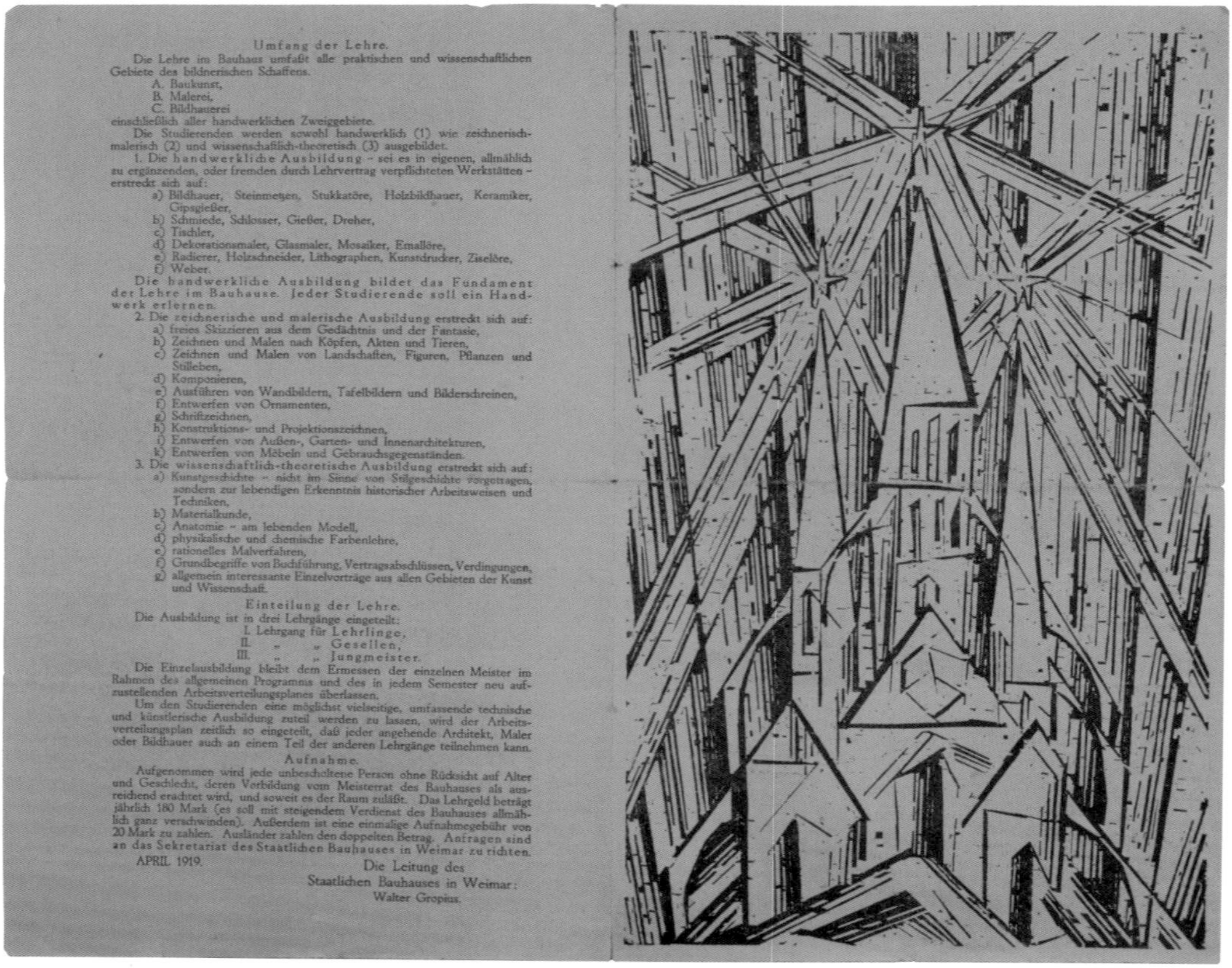

Umfang der Lehre.

Die Lehre im Bauhaus umfaßt alle praktischen und wissenschaftlichen Gebiete des bildnerischen Schaffens.

A. Baukunst,
B. Malerei,
C. Bildhauerei

einschließlich aller handwerklichen Zweiggebiete.

Die Studierenden werden sowohl handwerklich (1) wie zeichnerisch-malerisch (2) und wissenschaftlich-theoretisch (3) ausgebildet.

1. Die handwerkliche Ausbildung – sei es in eigenen, allmählich zu ergänzenden, oder fremden durch Lehrvertrag verpflichteten Werkstätten – erstreckt sich auf:
a) Bildhauer, Steinmetzen, Stukkatöre, Holzbildhauer, Keramiker, Gipsgießer,
b) Schmiede, Schlosser, Gießer, Dreher,
c) Tischler,
d) Dekorationsmaler, Glasmaler, Mosaiker, Emallöre,
e) Radierer, Holzschneider, Lithographen, Kunstdrucker, Ziselöre,
f) Weber.

Die handwerkliche Ausbildung bildet das Fundament der Lehre im Bauhause. Jeder Studierende soll ein Handwerk erlernen.

2. Die zeichnerische und malerische Ausbildung erstreckt sich auf:
a) freies Skizzieren aus dem Gedächtnis und der Fantasie,
b) Zeichnen und Malen nach Köpfen, Akten und Tieren,
c) Zeichnen und Malen von Landschaften, Figuren, Pflanzen und Stilleben,
d) Komponieren,
e) Ausführen von Wandbildern, Tafelbildern und Bilderschreinen,
f) Entwerfen von Ornamenten,
g) Schriftzeichnen,
h) Konstruktions- und Projektionszeichnen,
i) Entwerfen von Außen-, Garten- und Innenarchitekturen,
k) Entwerfen von Möbeln und Gebrauchsgegenständen.

3. Die wissenschaftlich-theoretische Ausbildung erstreckt sich auf:
a) Kunstgeschichte – nicht im Sinne von Stilgeschichte vorgetragen, sondern zur lebendigen Erkenntnis historischer Arbeitsweisen und Techniken,
b) Materialkunde,
c) Anatomie – am lebenden Modell,
d) physikalische und chemische Farbenlehre,
e) rationelles Malverfahren,
f) Grundbegriffe von Buchführung, Vertragsabschlüssen, Verdingungen,
g) allgemein interessante Einzelvorträge aus allen Gebieten der Kunst und Wissenschaft.

Einteilung der Lehre.

Die Ausbildung ist in drei Lehrgänge eingeteilt:
I. Lehrgang für Lehrlinge,
II. „ „ Gesellen,
III. „ „ Jungmeister.

Die Einzelausbildung bleibt dem Ermessen der einzelnen Meister im Rahmen des allgemeinen Programms und des in jedem Semester neu aufzustellenden Arbeitsverteilungsplanes überlassen.

Um den Studierenden eine möglichst vielseitige, umfassende technische und künstlerische Ausbildung zuteil werden zu lassen, wird der Arbeitsverteilungsplan zeitlich so eingeteilt, daß jeder angehende Architekt, Maler oder Bildhauer auch an einem Teil der anderen Lehrgänge teilnehmen kann.

Aufnahme.

Aufgenommen wird jede unbescholtene Person ohne Rücksicht auf Alter und Geschlecht, deren Vorbildung vom Meisterrat des Bauhauses als ausreichend erachtet wird, und soweit es der Raum zuläßt. Das Lehrgeld beträgt jährlich 180 Mark (es soll mit steigendem Verdienst des Bauhauses allmählich ganz verschwinden). Außerdem ist eine einmalige Aufnahmegebühr von 20 Mark zu zahlen. Ausländer zahlen den doppelten Betrag. Anfragen sind an das Sekretariat des Staatlichen Bauhauses in Weimar zu richten.

APRIL 1919.

Die Leitung des
Staatlichen Bauhauses in Weimar:
Walter Gropius.

ヴァルター・グロピウス《ヴァイマール国立バウハウスの基本計画》
1919年　凸版印刷　38.8×31.3cm
右(表紙):リオネル・ファイニンガー「大聖堂」　ジンコグラフィー
ミサワ バウハウス コレクション蔵

← das manifest des bauhauses

ネル・ファイニンガーの版画による3つの尖塔を持つゴシック様式の教会は、絵画、彫刻、建築の統合を表し、未来の大建築を象徴しているようだ。

当時、第一次世界大戦での敗戦のショックと同時に共和政の誕生という転換期にいたドイツは、新しい社会、すなわちユートピアをつくろうというドイツ全体に浸透していたロマンチックな熱狂の中にあり、その時代の気分がこの宣言文にも表れている。

また、グロピウスが手工作に大きな役割を与えていることがわかる。芸術は教えられるものではないが手工作は教えられるものであり、この能力はすべての芸術家にとって欠かすことができない基盤であるからだという。一方で、興味深いことに、この宣言文には現代の私たちがバウハウスの特色と捉えている「工業デザイン」も「技術」という言葉もまだ登場しない。

たった14年間の存続期間ながら、バウハウスという学校が試行錯誤の中で方向転換していったことを、この宣言文は示している。

【バウハウス宣言】

すべての造形活動の最終目標は、建築である！ 芸術を装飾するということが、かつての造形芸術のもっとも主要な課題であった。それは大建築の分かちがたい構成要素であった。今日、芸術は自己満足的な独自性の上に立っており、それは、すべての工作者たちが互いに意識的に共同作業をし、そして相互作用が行なわれることによって初めて再びそこから解放されることができるのである。建築家、画家そして彫刻家は、多様な部分からなる建築の形態をその全体と部分において再び知り、理解し学ばねばならない。そうすれば、彼らの仕事には、サロン芸術によって失われた建築的な精神が再び充ちあふれるだろう。

旧来の美術学校は、このような統一を生み出そうにも、生み出すことができなかった。芸術は教えられるものではないからである。美術学校は、再び工房に吸収されるべきである。ただ図面を引き、絵を描くだけの意匠家、美術工芸家の世界は、最終的に建築的な世界にならなければならない。もしも造形的な活動に対する嗜好を持つ若者が、彼の道を手工作を習得することから始めるとしたら、この未だ生み出さぬ「芸術家」は、将来不完全な芸術の訓練をもはや強いられずにすむのである。なぜなら彼の技術は手工作からもたらされ、素晴らしいことを成し遂げることができるからである。

建築家、彫刻家、画家よ。我々はみな手工作に戻らなければならない！ なぜなら、「芸術という職業」は存在しないからだ。芸術家と手工芸家の間には本質的な相違は存在しない。芸術家とは高められた手工芸家なのである。天の恩寵が、作者の意志の届かぬ稀な輝ける瞬間に、彼の手から無意識に芸術を開花させるのである。しかしながら、工作的なものの基礎はあらゆる芸術家にとって不可欠である。ここに創造的な造形の源泉がある。

従って我々は、手工芸家と芸術家の間に高慢に立ちはだかる壁を築く傲慢な階級意識を廃して、新たな手工芸家のギルドをつくろう！ 建築、彫刻そして絵画のすべてがひとつの形態になるような新しい未来の建築をともに望み、考え、創り出そう。手工芸家たちの数百万もの手からなるその建築は、いつの日か、新たな未来の信念の結晶した象徴として、天に向かってそびえ立つであろう。

ヴァルター・グロピウス

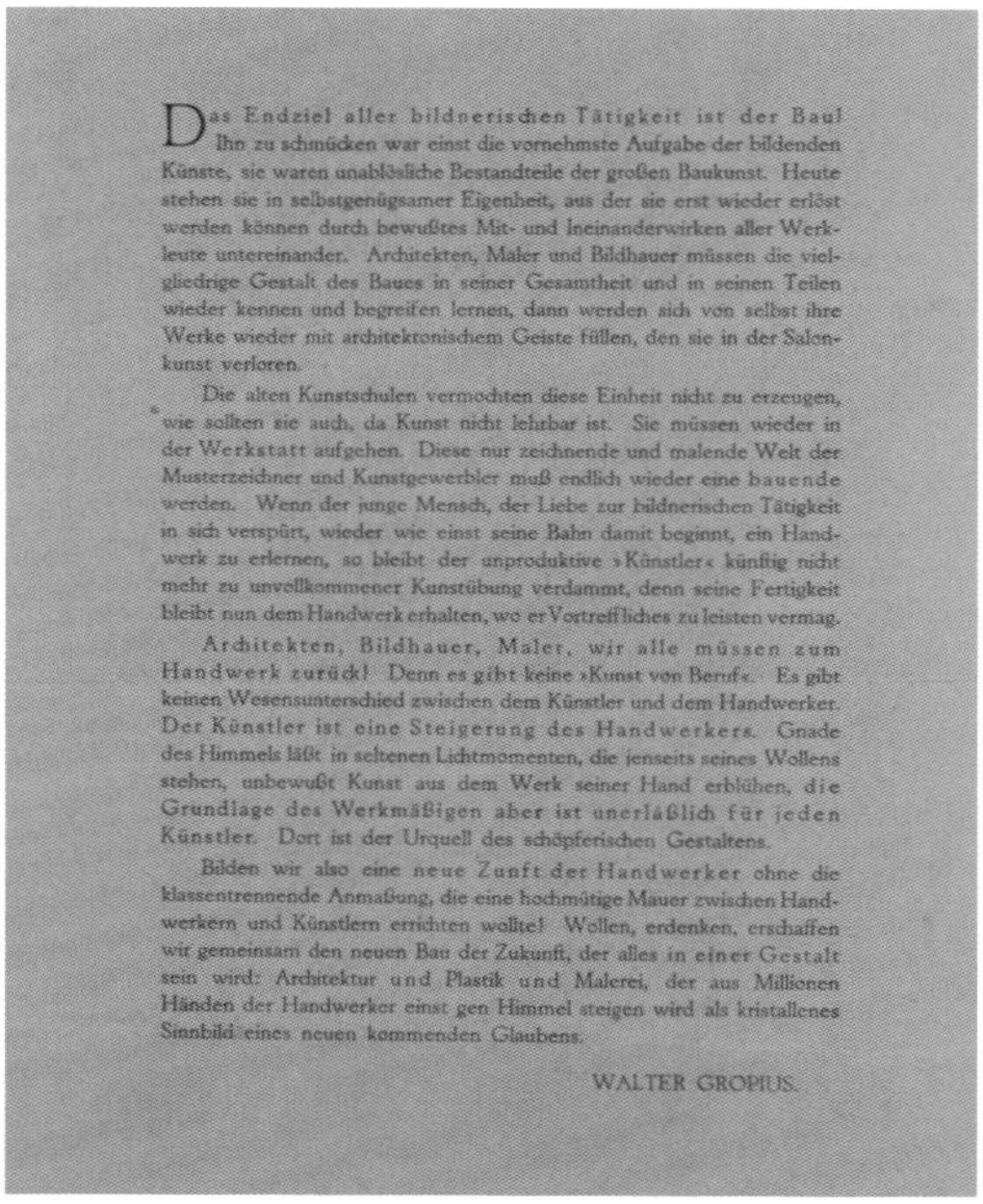

Das Endziel aller bildnerischen Tätigkeit ist der Bau! Ihn zu schmücken war einst die vornehmste Aufgabe der bildenden Künste, sie waren unablösliche Bestandteile der großen Baukunst. Heute stehen sie in selbstgenügsamer Eigenheit, aus der sie erst wieder erlöst werden können durch bewußtes Mit- und Ineinanderwirken aller Werkleute untereinander. Architekten, Maler und Bildhauer müssen die vielgliedrige Gestalt des Baues in seiner Gesamtheit und in seinen Teilen wieder kennen und begreifen lernen, dann werden sich von selbst ihre Werke wieder mit architektonischem Geiste füllen, den sie in der Salonkunst verloren.

Die alten Kunstschulen vermochten diese Einheit nicht zu erzeugen, wie sollten sie auch, da Kunst nicht lehrbar ist. Sie müssen wieder in der Werkstatt aufgehen. Diese nur zeichnende und malende Welt der Musterzeichner und Kunstgewerbler muß endlich wieder eine bauende werden. Wenn der junge Mensch, der Liebe zur bildnerischen Tätigkeit in sich verspürt, wieder wie einst seine Bahn damit beginnt, ein Handwerk zu erlernen, so bleibt der unproduktive »Künstler« künftig nicht mehr zu unvollkommener Kunstübung verdammt, denn seine Fertigkeit bleibt nun dem Handwerk erhalten, wo er Vortreffliches zu leisten vermag.

Architekten, Bildhauer, Maler, wir alle müssen zum Handwerk zurück! Denn es gibt keine »Kunst von Beruf«. Es gibt keinen Wesensunterschied zwischen dem Künstler und dem Handwerker. Der Künstler ist eine Steigerung des Handwerkers. Gnade des Himmels läßt in seltenen Lichtmomenten, die jenseits seines Wollens stehen, unbewußt Kunst aus dem Werk seiner Hand erblühen, die Grundlage des Werkmäßigen aber ist unerläßlich für jeden Künstler. Dort ist der Urquell des schöpferischen Gestaltens.

Bilden wir also eine neue Zunft der Handwerker ohne die klassentrennende Anmaßung, die eine hochmütige Mauer zwischen Handwerkern und Künstlern errichten wollte! Wollen, erdenken, erschaffen wir gemeinsam den neuen Bau der Zukunft, der alles in einer Gestalt sein wird: Architektur und Plastik und Malerei, der aus Millionen Händen der Handwerker einst gen Himmel steigen wird als kristallenes Sinnbild eines neuen kommenden Glaubens.

WALTER GROPIUS.

ヴァルター・グロピウス
バウハウス宣言《ヴァイマール国立バウハウスの基本計画》（部分）
1919年　凸版印刷　ミサワ バウハウス コレクション蔵

関連ページ　P28 リオネル・ファイニンガー、P48 工業との連携

カリキュラム

基礎教育から工房教育を経て建築へと至る3段階のカリキュラム

新しいデザインをめざし試行錯誤したバウハウスは、教育についても試行錯誤していた。また、ナチスが台頭し第二次世界大戦へと進んでいく当時の社会状況の不安定さから、学校の体制も変化している。内外の事情から、バウハウスの教育カリキュラムは14年の間変わり続けた。まずは、もっとも有名な1922年のカリキュラム図から、バウハウスの基本的な考え方をみてみよう。

まず最初に説明しなければならないのは、学期制のことである。バウハウスは年度制ではなく学期制をとっており、これは14年間共通だった。1年は夏学期(Sommersemester)と冬学期(Wintersemester)の2期に分かれ、1年に4月と10月の2回、新入生が入学した。

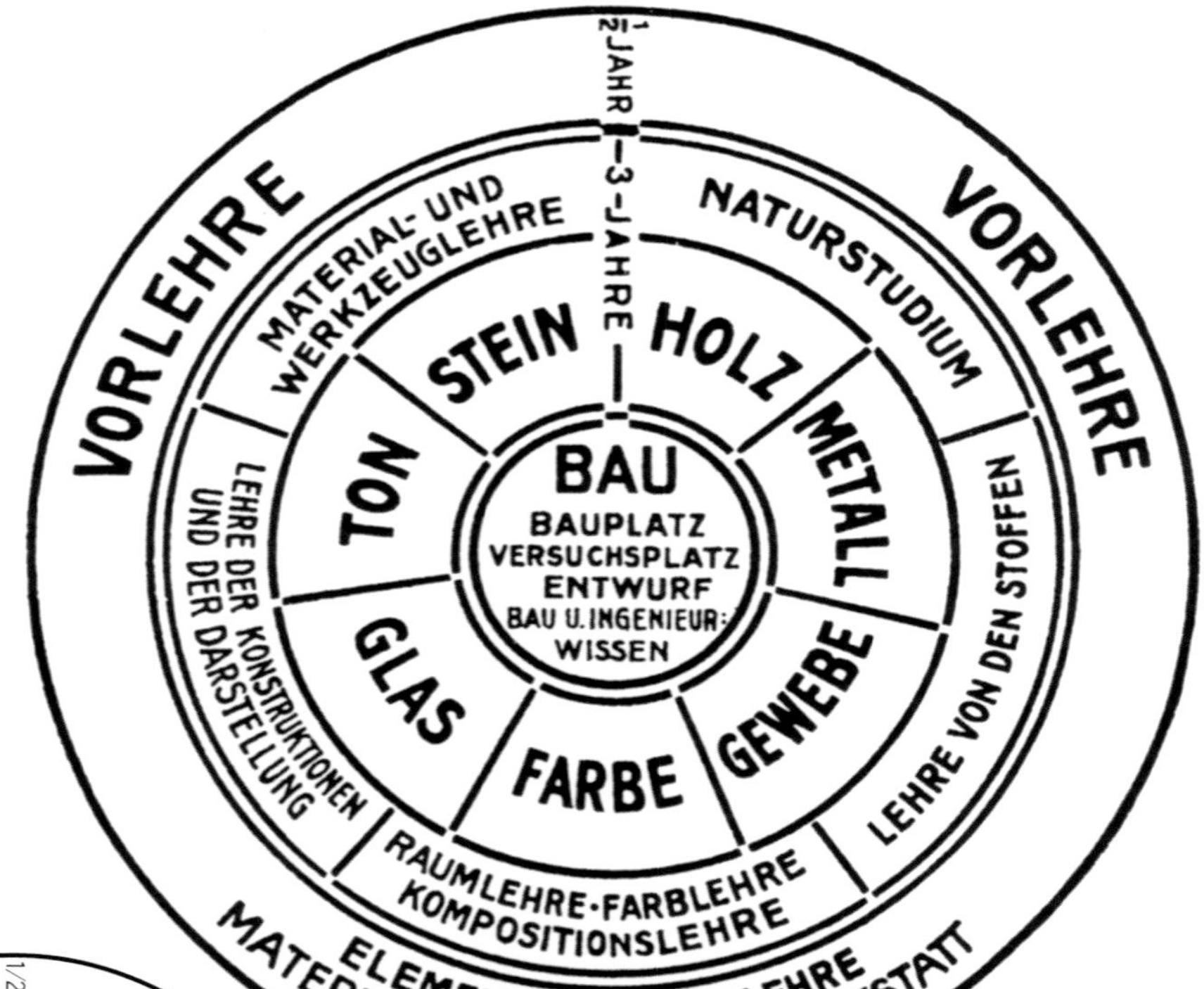

1922年の教育カリキュラム図。

lehrplan

中心にBAUの文字が置かれた円形のカリキュラム。円なのでわかりにくいが、これは、外端から出発し、二重の線で3段階に分けられた教程を中心のBAUめざして進む図である。BAUとはバウハウスのバウであり、建築を指す。建築が最終目標であり、中心に置かれているのだ。バウハウスに入った学生は、どの専攻に進もうとも、まずは当時「予備課程(Vorlehre)」といわれた共通の造形基礎教育を受ける。美術の専門教育を既に修めた者もそうではない者も、等しく基礎教育からスタートすることが求められた。半年後、学期末の作品展で進級が許可されて初めて正式入学となり、工房教育課程に進むことができた。ここで学生は、木(Holz)、石(Stein)、金属(Metall)、土(Ton)、ガラス(Glas)といった素材の中から好きなものをひとつ選んでその工房に入り、職人資格の取得を目標に3年の修業を積む。工房教育を修めた者が、ようやく最終目標である建築に進むことができた。建築までが非常に長い道のりで、さらに、1927年まで正規の建築の授業は行なわれなかった。

　バウハウスでは基本的にこの「基礎教育」「工房教育」「建築」の3段階のカリキュラムを保持しようとしたが、履修期間や内容、工房の区分も変わり続けた。基礎教育は当初半年間だったが、大変効果的だったため、すぐに2学期間に拡充された。2代目学長ハンネス・マイヤーの時代には造形領域だけでなく科学の分野を大幅に増やして4学期目まで期間を延ばした。3代目のミースの時代には主に外的要因から大幅なカリキュラムの縮小がなされ、工房も縮小されて、建築の比重が高まった。

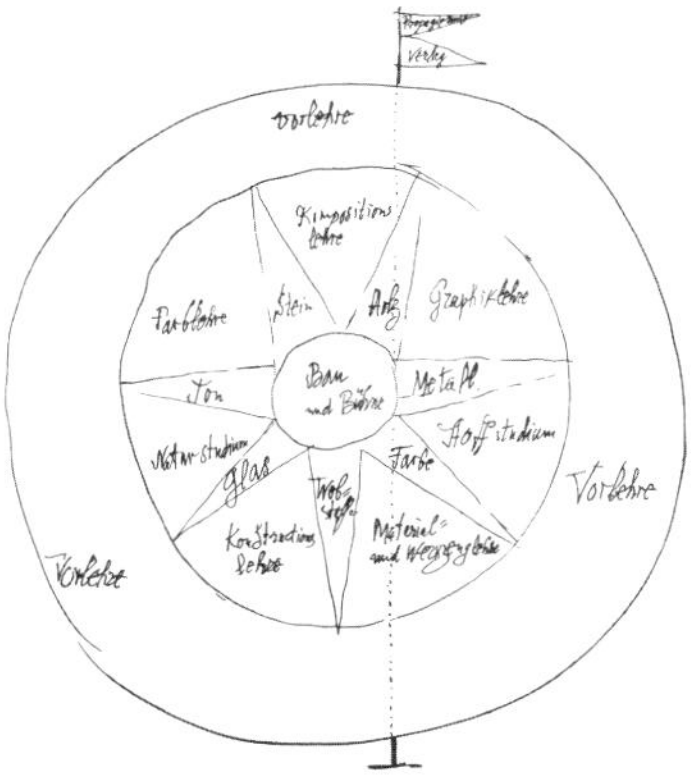

パウル・クレーによる教育カリキュラム図（1922年）。

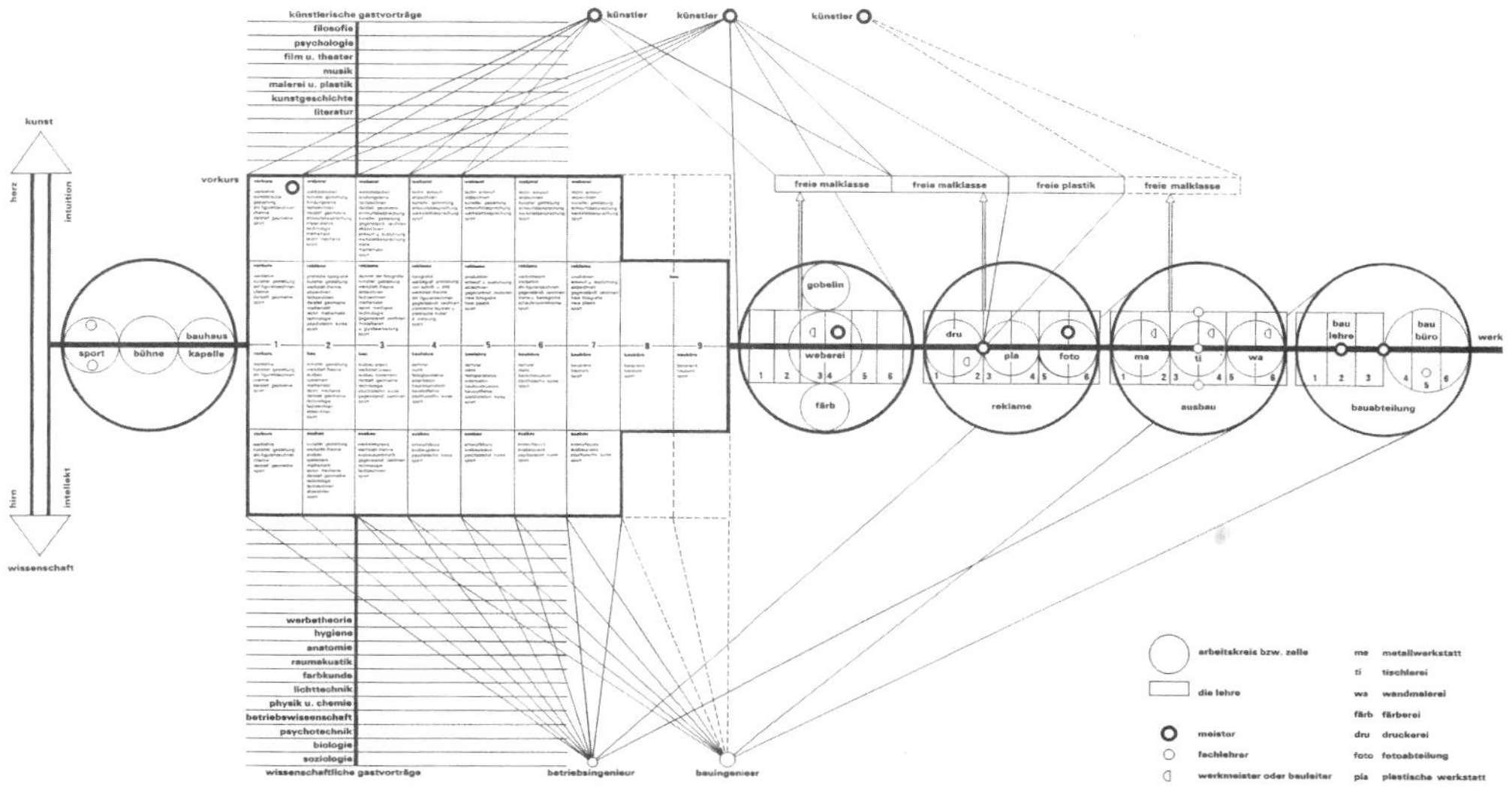

1930年に、ハンネス・マイヤーが作成した教育計画図。マイヤーがめざしたプランだったが、実現することはなかった。

関連ページ P52 ［コラム］バウハウスの学生生活

工房

新たなデザインを生む 教育と生産実験の場

バウハウスでは、最初に全員が基礎教育の課程で造形の基礎を身につけたのち、次の段階である工房教育へと進んだ。工房は陶器、金属、家具、壁画、版画、彫塑、舞台など、広い分野にわたり、14年間に新設、廃止、統廃合を繰り返した。学生は、自分の好きな工房を選び、およそ3年間修業を積んで職人資格の取得をめざす。特徴的なのは、2人マイスター（親方）制度をとっていたことである。「親方」、「職人」、「徒弟」といった伝統的な徒弟制の呼称を採用していたが、かといってこれまでの徒弟制度のように、伝統的な形態や技術をそのまま受け継ぐのではなかった。新しいデザインを希求したのだ。したがって、教育にも新しいやり方が必要だった。2人マイスター制度は、手工作教育と形態教育をそれぞれ卓越した人物から習うこ

家具工房

möbel-werkstatt

展覧会カタログ『ヴァイマール国立バウハウス1919-1923』所収

石彫工房

steinbildhauer-werkstatt

展覧会カタログ『ヴァイマール国立バウハウス1919-1923』所収

← werkstatt

とで、両者の能力を兼ね備えた新しいタイプの人材を育成しようという試みだった。この制度は１９２５年に優れた学生をユングマイスターに採用し、彼らが工房の指導を担当したことで発展的に解消した。彼らはもうひとりですべてを教えることができたからである。

また、工房は教育の場であると同時に、新たなデザインを生み出すための生産実験工房でもあった。最初期には手づくりの手の込んだ一品生産をしていた各工房は、１９２２年頃に量産のためのデザインの方針を打ち出したグロピウスによって、工業生産のための新たな素材と形態を追求する場へと変貌を遂げていく。

ヴァイマール・バウハウスでは、手づくりの有機的な形態の作品から、極端な幾何学形態や素材の実験を経て、工業生産に適した素材と形態に近づいていく過程がみられる。デッサウでは、織物工房、壁画工房、金属工房などでそれまでの試行錯誤が実を結び、積極的に外部の企業と契約して工房内で生み出されたデザインを量産するようになった。

陶器工房

keramik-werkstatt

展覧会カタログ『ヴァイマール国立バウハウス 1919-1923』所収

織物工房

weberei-werkstatt

バウハウス叢書第 12 巻 ヴァルター・グロピウス『デッサウのバウハウス建築』所収

➜ 関連ページ　P㉔ マイスター、P㊽ 工業との連携、P㊸ ユングマイスター

金属工房の試行錯誤

未来の手工作は新しい統一作業に熱中し、工業生産のための実験作業を担当するものとなるだろう。

バウハウス叢書第7巻 ヴァルター・グロピウス『バウハウス工房の新製品』宮島久雄訳、中央公論美術出版、1991年（1925）

照明器具が切り拓いた工業化への道

「工業のための原型」をめざしていたにもかかわらず、バウハウスの金属工房で量産化が実現できたものは、実際はあまり多くない。有名な銀器は、形態は斬新だったが技術が追いつかず、工房でひとつずつ手づくりされていた。特に初期は住宅や家具用の小さな部品のほか、宝飾品や金銀の手作業による加工が主であり、1923年にモホイ=ナジがこの工房の主任となった時には、メンバーは貴金属の代わりに鉄やニッケル、ガラスを扱うことに抵抗をみせたほどだった。この素材の移行を促したのは、照明器具のデザインである。バウハウス展で公開する住宅のために、照明器具の開発が急務となったのだ。

1923年のバウハウス展に公開されたアム・ホルンの実験住宅には、金属工房による照明器具のさまざまなモデルが設置された。書斎コーナーの壁につけられたカール・J・ユッカーの照明器具（72頁）は、光源を動かすための無骨な長い鉄の腕を持っており、その大仰な姿から恐竜と形容された。ギュラ・パップのフロアランプの、金属パイプ、ガラス、むき出しの電球を使った単純な構成は、それまでにない革新的なデザインだった。鉄や工業用の板ガラスは、それまでは見せてよい素材ではなく、布のシェードや木製の覆いで隠されていたのだから。

翌年のライプツィヒの見本市に出品したヴィルヘルム・ヴァーゲンフェルトとユッカーによるテーブルスタンド（71頁）もまた、工業的な形態を持ちながら手作業による制作であることで当時の業界からは嘲笑を受けたのだが、実際には工業化への移行期のデザインとして重要だったのだ。特に、ガラスの軸の中を上るコードを故意に見せるような、機能を隠さず逆に強調するデザインは、それまでにない考え方だった。

デッサウの時代に入ると、バウハウスは照明器具メーカーとの契約を交わし、本格的に量産用照明器具の開発に乗り出した。上記のテーブルスタンドもシュヴィンツァー&グレフ社で製造されるようになった。とりわけケルティング&マティーゼン社でマリアンネ・ブラントを中心に開発したカンデムのシリーズは、ペンダント型からテーブルスタンド、ナイトテーブル用などさまざまな用途に応じたデザインが追求され、類似品が出回るほどの人気を博した。

学生たちが競って工夫を重ねたデザイン

金属工房では、1924年頃にさかんに球形の茶こしをデザインしている。さまざまな学生が同じよ

ギュラ・パップ
《フロアランプ MT 2a, ME16」》
撮影者不詳　1923年
写真　17.2 x 4.7cm
バウハウス・アルヒーフ蔵
Bauhaus-Archiv Berlin

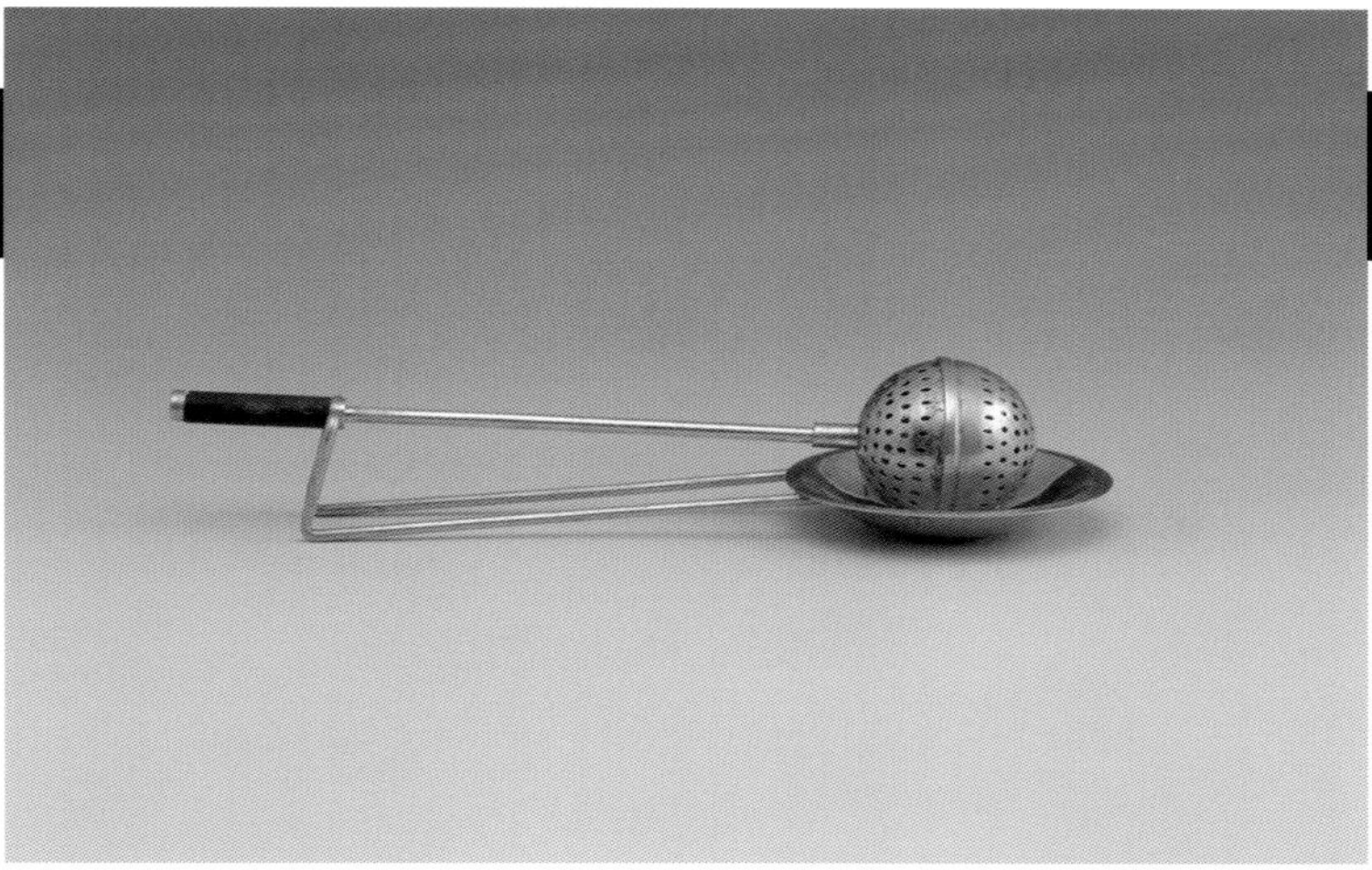

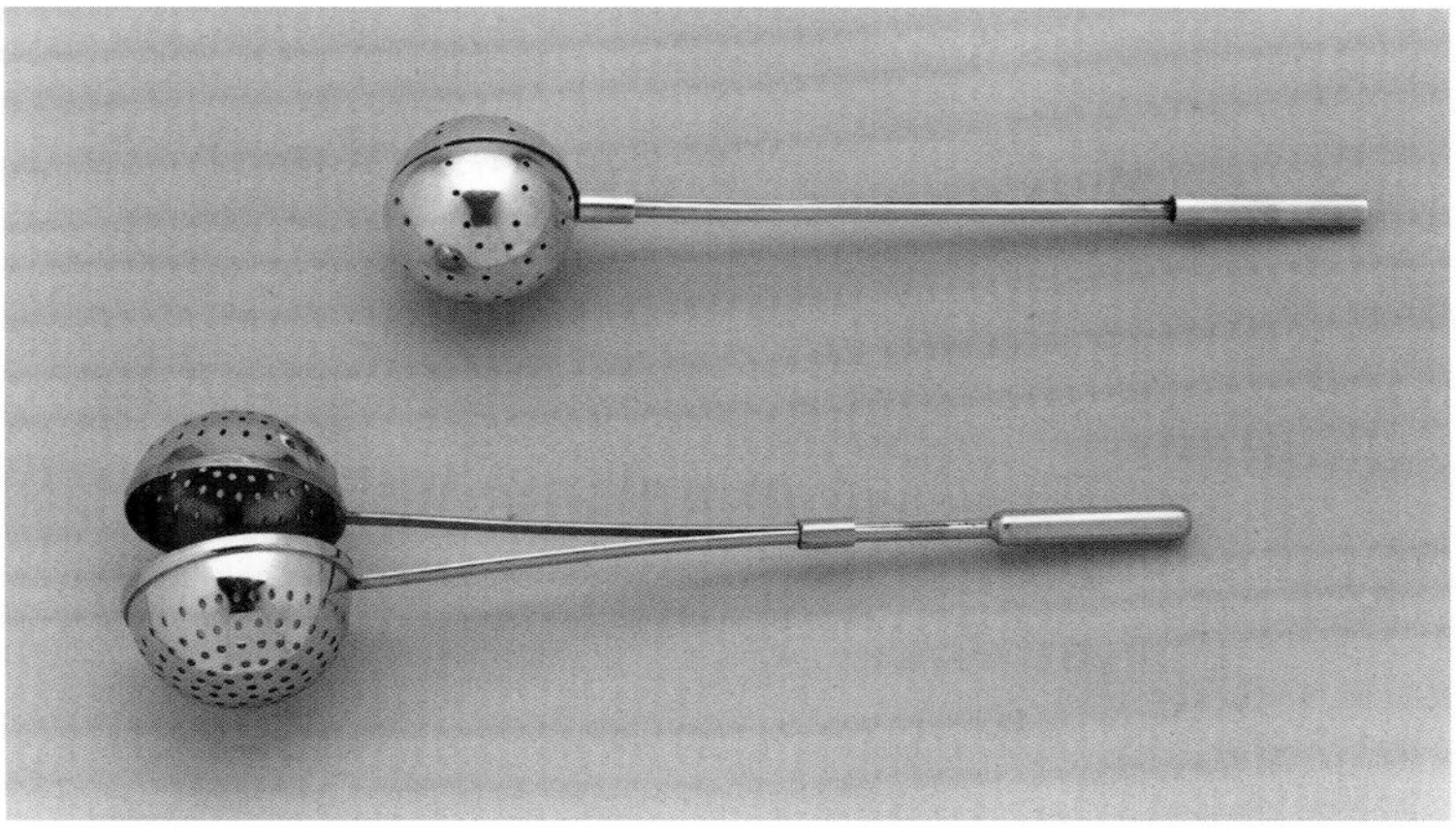

上/《茶こしと受け皿》
茶こし:ヴォルフガング・トゥンペル、
受け皿:ヴィルヘルム・ヴァーゲンフェルト
1924年　洋銀　長さ15.3cm
ミサワ バウハウス コレクション蔵

下/ヨゼフ・クナウ《2つの球形茶こし》
1924年
真鍮にニッケル鍍金　長さ15cm
バウハウス・アルヒーフ蔵
Bauhaus-Archiv Berlin

©Abgelaufen / Expired

うな茶こしをつくっていることからみて、これは、当時の工房教育での課題だったのかもしれない。茶こし(ティーインヒューザー)とは、紅茶の葉を閉じ込めてカップに入れ、お湯を注いで抽出するための道具である。いわば、金属製のティーバッグだ。

一見どれも同じように思えるが、特に開閉に工夫が凝らされていて、よく見るとさまざまなタイプがあることがわかる。単純な仕組みしか持たない小さな器具に見えて、実際はなかなか条件が厳しい。開閉しやすく、かつ一端ロックしたら少しの衝撃で開いたりしないことが肝心である。茶葉を入れやすく、洗いやすくなければならないし、また、カップの縁に当たっただけで簡単に開いてしまっては、用をなさないからだ。このような用具としての条件に加えて、余計な部分を極力削り、「球と棒」のみに見えるようなデザインをめざして皆、試行錯誤した。例えば開閉する機構として誰もが最初に思いつくのは蝶番《ちょうつがい》だが、構造上、その金具は球の外側にどうしても姿を現してしまい、視覚的には余計な要素となる。バウハウスでは、恐らくそれを良しとしなかったのだろう。では、どのような仕組みにすれば球と棒だけにできるのか?

ヨゼフ・クナウの茶こしは、「球と棒」に限りなく近い。蝶番が必要ないのは、半球と棒が一体化した形の1対を上端でとめて、まるでサクランボの形のように金属のしなりを利用して開くから。2本の棒(これも断面を半円にして、合わさると1本の棒にみえるように工夫している)を束ねる小さな筒が、球のすぐ側まで降りてくることによってしっかりロックし、かき混ぜてもぶつけても開く心配はない。

シンプルなほど難しいということ、シンプルに見えて幾多の解決策があり得ることが、この課題からみえてくる。

ものは…その諸機能を満足させ、丈夫で、安価で、そして「美しく」あるべきだ…

バウハウス叢書第7巻 ヴァルター・グロピウス『バウハウス工房の新製品』宮島久雄訳、中央公論美術出版、1991年(1925)

関連ページ　P⑭アム・ホルンの実験住宅

マイスター

meister

造形のための共通言語をつくり上げることをめざして

バウハウスの創設にあたって学長グロピウスが招聘し、これに応じた教師たちは、進取の気性に富む芸術家たちだった。絵画のクラスがなかったにもかかわらず、彫刻家のゲアハルト・マルクス以外は、皆画家であった。彼らは形態マイスターとして主に各工房の形態論の指導を担当した。ヨハネス・イッテンの提案によって当時「予備課程」と呼ばれた造形基礎教育の課程が誕生し、イッテンを中心に、クレーやカンディンスキー、シュレンマーなども基礎教育に携わった。

通常バウハウスのマイスターというと、上記の形態マイスターを指すことが多い。しかし、バウハウスの教師はそれだけではなかった。工房で技術指導をした各領域の手工作家である技術マイスターや、補助教員、1925年以降にはユングマイスターが教職に加わり、ハンネス・マイヤー時代には外部のさまざまな専門家が講師として招かれている。こうした教師陣の中で形態マイスターたちは学校の基盤を構成する中心的な役割を持っていた。

ヴァイマール時代の形態マイスターはゲアハルト・マルクス(26頁)、リオネル・ファイニンガー(28頁)、ヨハネス・イッテン(30頁)、ローター・シュライヤー、ゲオルク・ムッヘ(32頁)、オスカー・シュレンマー(34頁)、パウル・クレー(36頁)、ワシリー・カンディンスキー(38頁)、そしてラースロー・モホイ=ナジ(42頁)。彼らマイスターたちの作品を並べてみると、そのスタイルの違いに驚くことだろう。バウハウスは表現主義、ダダイズム、オランダのデ・ステイル、ロシア構成主義などの当時の芸術運動とともに語られることが多いが、バウハウスは学校であって様式や思想を同じくする芸術運動ではないことに注意しなければならない。表現手法や思想が異なる人々が集まり、時には対立するようなさまざまな意見を持っていたが、彼らはひとつのスタイル(様式)をつくろうとしたのではない。彼らはバウハウスで、造形のための共通言語をつくり上げるという共通の目標に向かって努力していたのだ。

デッサウ時代の教師たち(1926年撮影)。左からヨゼフ・アルバース、ヒネルク・シェーパー、ゲオルク・ムッヘ、ラースロー・モホイ＝ナジ、ヘルベルト・バイヤー、ヨースト・シュミット、ヴァルター・グロピウス、マルセル・ブロイヤー、ワシリー・カンディンスキー、パウル・クレー、リオネル・ファイニンガー、グンタ・シュテルツル、オスカー・シュレンマー。

■主なマイスターの在任期間

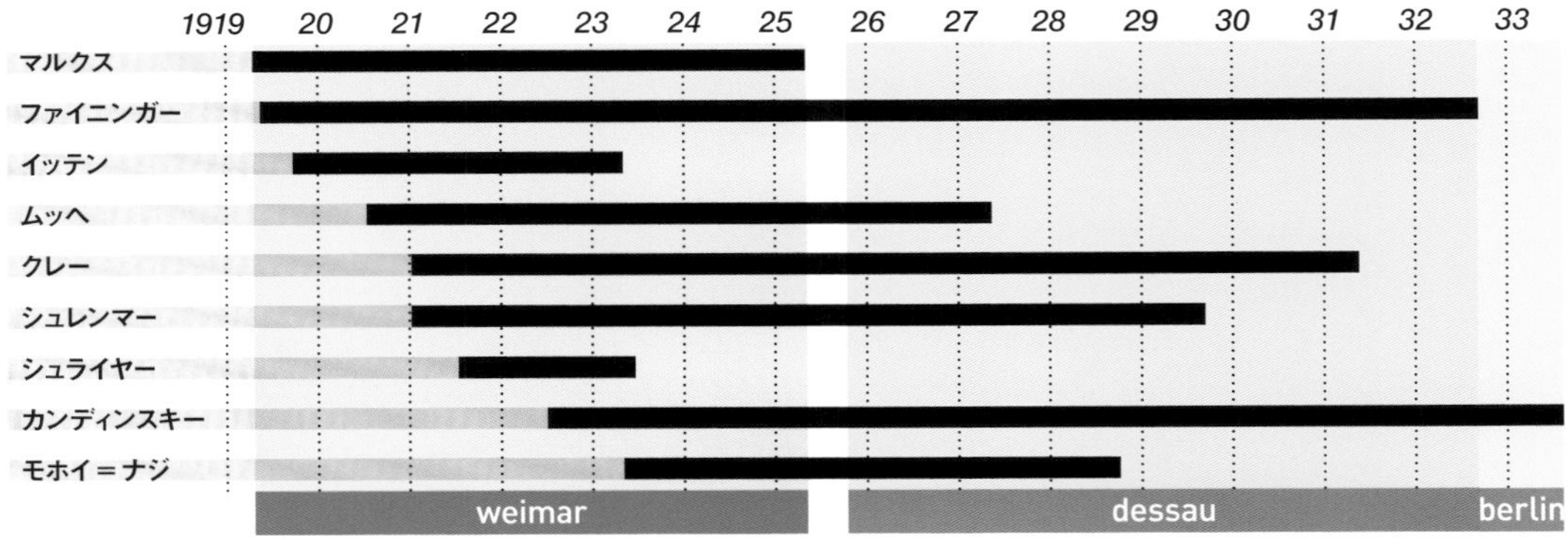

➜関連ページ P53 ユングマイスター

ゲアハルト・マルクス
gerhard marcks

1889年 ベルリン(ドイツ)生まれ／ 1981年 ブルクブロール(ドイツ)で死去

在籍期間 1919-1925年

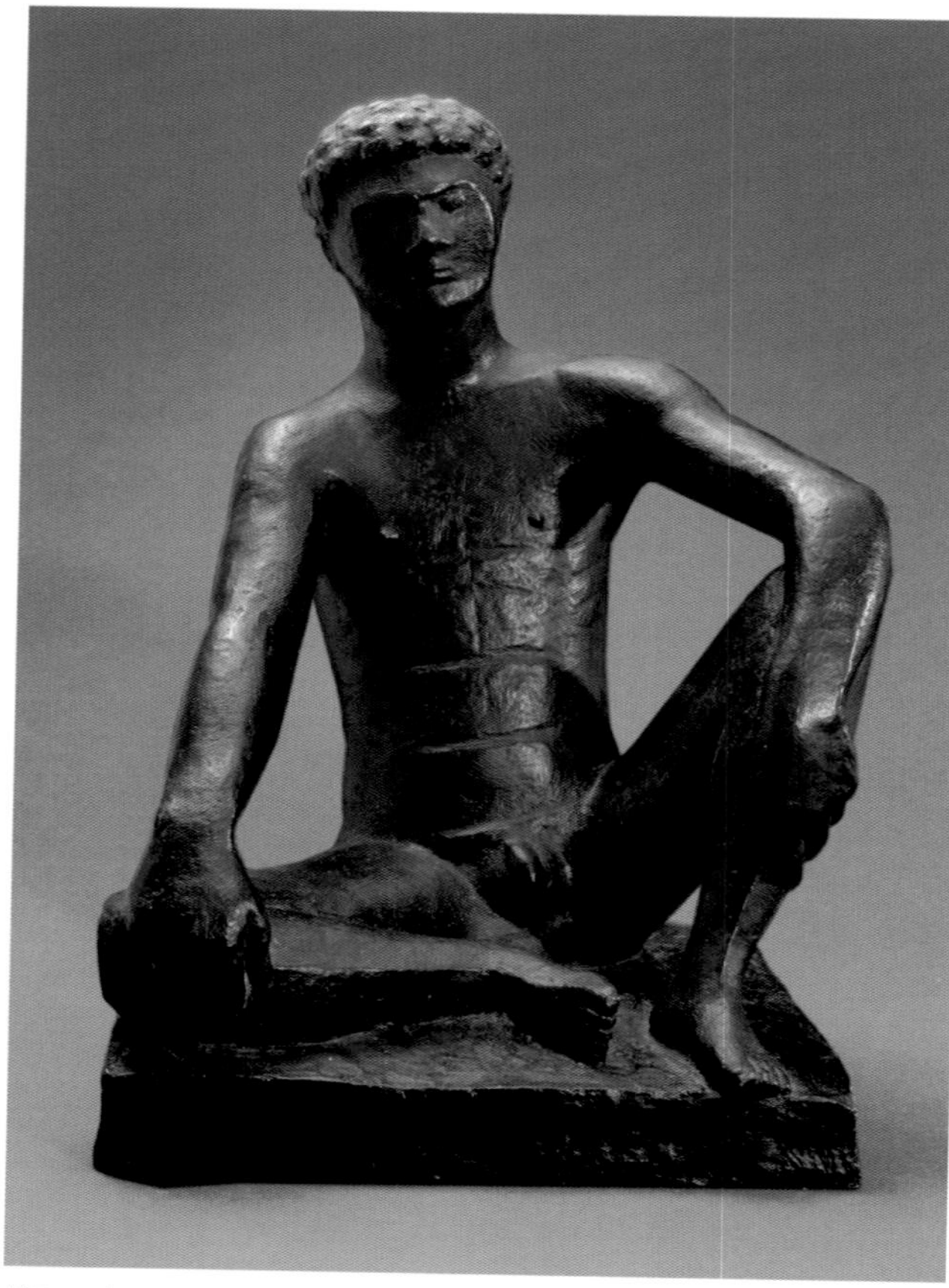

僕には食器の製造が成功するよりも人間の方が重要に思えるのだ。そうして人間は手仕事によって育まれるものだ。

ゲアハルト・マルクス、グロピウスへの1923年3月の書簡より
Karl-Heinz Hüter, *Das Bauhaus in Weimar*, Berlin, Akademie-Verlag, 3rd. ed., 1983

旧約聖書で最初の人間として描かれるアダム。マルクスらしい、柔らかな輪郭と時を切り取ったようなどこか静かな佇まい。マルクスは、アダム、あるいはアダムとイヴのテーマを繰り返し彫刻や版画作品で取り上げた。この作品を制作した頃、彼はハンブルク州立芸術学校に招かれ彫刻科で教鞭をとっていた。

ゲアハルト・マルクス《アダム（座像）》
1947年　ブロンズ　35.4×24.8×21cm　ミサワ バウハウス コレクション蔵

手仕事にこだわった陶器工房の形態マイスター

ゲアハルト・マルクスは最初期にバウハウスに招聘されたひとりだった。彼は彫刻家であり、自分でろくろを引くことはなかったが、陶芸家との協働の経験が豊富だったため、陶器工房で形態マイスターを務めた。学校の施設には陶芸に必要な設備がなく、工房の設置は困難だった。窯をはじめとした設備を新たに用意するだけでなく、伝統を捨てるというグロピウスの考えに理解を示す柔軟なマイスターを探さねばならなかったからだ。結局ヴァイマールから30km離れたドルンブルクの陶工マックス・クレハンが技術マイスターになることを承諾し、陶器工房はバウハウスの校舎から離れて活動を開始した。

マルクスは陶芸の歴史、非ヨーロッパの陶芸、形態論を教えたが、彼が彫刻家であったことが影響し、この工房では、特に初期において、陶製の彫刻や彫塑的な形態を持つ水差しなど興味深い作品が生まれた。

撮影者：アローアートワークス ©2015

ゲアハルト・マルクス、マックス・クレハン《水差し》

1920-23年　陶器　31.5×21.8×21.4cm　東京国立近代美術館蔵

やがて、学長グロピウスが「工業との連携」という新しい方針を打ち出すと、マルクスはクレハンとともに拒否反応を示した。その際のグロピウスへの手紙の一節が、冒頭の言葉である。教育はバウハウスの核であり、手工作が重要であることはグロピウスも同意見であった。しかし、社会と積極的に関わる芸術家の養成もこの学校の目的であり、また、バウハウスが外部の力に屈せずにやっていくには、生産工房を拡充し運営資金を稼ぐことも必要だった。そこで、量産に関心を示したオットー・リンディッヒ、テオドール・ボークラーという2人の職人が中心となり、工業化を試行する工房を開設し、並行して2人のマイスターが教育工房を運営する体制となった。

1925年、学校がデッサウに移転する際、この工房はドルンブルクに留まり、マルクスはハレのブルク・ギービヒェンシュタイン芸術工芸学校に移った。そこで彫刻を教え、のちに同校学長を務めた。

➡関連ページ　P50［特集］組み合わせ式ティーポットの可能性

リオネル・ファイニンガー
lyonel feininger

1871年 ニューヨーク（アメリカ）生まれ／ 1956年 ニューヨーク（アメリカ）で死去

在籍期間 1919-1932年

今問題なのは、われわれ全員が団結できるかどうかなのだ。

バウハウスのデッサウ移転が検討されている時の、妻ジュリアへの手紙より
Hans Maria Wingler (Hrsg.), *Das Bauhaus, Weimar, Dessau, Berlin, Chicago*, Verlag Gebr. Rasch & Co.,Bramsche, 1962

リオネル・ファイニンガー《ゲルメローダIX》
1926年　油彩、カンヴァス　100×80cm　フォルクヴァンク美術館蔵

学生にみせ続けた芸術家としての日々の姿

バウハウス宣言の表紙（16頁）を担当したリオネル・ファイニンガーは、ゲアハルト・マルクスと並んで最初期にバウハウスに加わったメンバーだった。彼はその当時既に表現主義を代表する画家のひとりとして知られており、バウハウスでは版画工房を担当した。

彼は妻ジュリアに何度も書簡を送って、バウハウスの状況を書き記した。それらの書簡の中で彼は、グロピウスの誠実で公正な人柄や、マイスターのメンバーの強烈な人間的資質について述べ、「芸術と技術、新しい統一」という新しいスローガンに反対し、マイスター内での意見の相違に言及し、また、バラバラにならず一致団結すべきだと述べている。それらは、バウハウス内部の動きを知る大変貴重な資料である。

彼が形態マイスターとなった版画工房では、決められた研修を受けることで、学生は誰でも工房を使って自分の作品を制作することができた。また、この工房は基本的に生産工房であり、学校内外のあらゆる種類の手刷りの委託、版画集の委託を受けた。バウハウス内では「新西欧版画集」が5巻の計画のうち、第2巻（フランスの作家たち）以外が出版され、大変質の高い版画集として評価された。また、カンディンスキーは1922年にこの工房で版画集「小さい世界」を、シュレンマーは1923年に《頭の遊び》を、ゲアハルト・マルクスは1923年に《古エッダのヴィーラントの歌》を刷らせた。当時のマイスター全員が参加した「マイスター版画集」も生まれた。学生も版画作品や版画集を制作したし、祭やバウハウス展の案内ハガキもここで刷られた。

外部からの注文も受け付けていたため、大変活気のある工房だった。

ファイニンガー自身も、当時木版に熱中しており、版木が手元にない時には、葉巻の木箱まで利用して作品をつくっていた。彼はデッサウに移転する前に既に教鞭をとることをやめていたが、バウハウスは彼を授業の義務のないマイスターとして認め、デッサウでマイスターハウスの1戸を提供した。彼の存在がバウハウスにとって価値があると認めていたのだ。

リオネル・ファイニンガー《ヴァイマールのマリア教会》
1951年　インク、手すき紙　37.9×31.3cm
ミサワ バウハウス コレクション蔵

関連ページ　P⑫ 版画集「小さい世界」

ヨハネス・イッテン
johannes itten

1888年 ジューデルン・リンデン(スイス)生まれ／1964年 チューリッヒ(スイス)で死去

在籍期間 1919-1923年

人間への敬意がすべての教育の起点であり、また到達点である。教育、特に芸術教育は人間の創造性を扱うという意味で、ひとつの挑戦なのである。

Johannes Itten, *Mein Vorkurs am Bauhaus/ Gestaltungs- und Formenlehre*, Otto Maier Verlag, Ravensburg, 1963

ヨハネス・イッテン《子どもの絵》
1922年　油彩、板　90×110cm　チューリッヒ美術館蔵

オスカー・シュレンマー《バウハウスの階段》
1932年　油彩、カンヴァス　162.3×114.3cm　ニューヨーク近代美術館蔵

バウハウスの数々の祝祭の企画者でもあった。白の祭、髭と鼻の祭、金属の祭など、奇想天外な企画でバウハウス全体を一時異空間に仕立て上げるその手腕は、舞台構成で培ったものだ。これらの祭は学校の行事として学生も教師も参加し、楽しんだ。

また、シュレンマーは1922年から基礎教育の中でヌードデッサンの授業を受けもち、これを時間をかけて発展させて「人間」という授業まで昇華させた。ヌードデッサンだけでは不充分であり、彼がやりたいのは人間をさまざまな角度から分析し、考察することだったからだ。1928年に、彼の授業「人間」が始まったが、これはもはや基礎教育のレベルを越えており、上級の第3学期生の必修とされた。講義内容は形式的、生物学的、哲学的な考察に分かれた壮大なものだったという。1929年10月にシュレンマーはバウハウスを去ったため、彼のこの授業が実施された期間は残念ながら大変短かった。

絵画、彫刻、そして舞台と、彼の仕事は多岐にわたったが、常に関心は人間にあった。例えば、舞台作品の中では、踊り手はマスクで顔を隠し、体には詰め物をして、個性を消す。これは、個人ではなく「人間」そのものを取り上げているからだ。人間を中心に考えるのはバウハウスも同じだった。1922年から採用されたバウハウスのマーク(9頁)は、シュレンマーの描いた幾何学的な人間の横顔なのだから。

➜関連ページ　P76 ［コラム］バウハウスの祭、P7 トリアディック・バレエ

パウル・クレー
paul klee

1879年 ミュンヘンブップフゼー（スイス）生まれ／1940年 ムラルト（スイス）で死去

在籍期間 1921-1931年

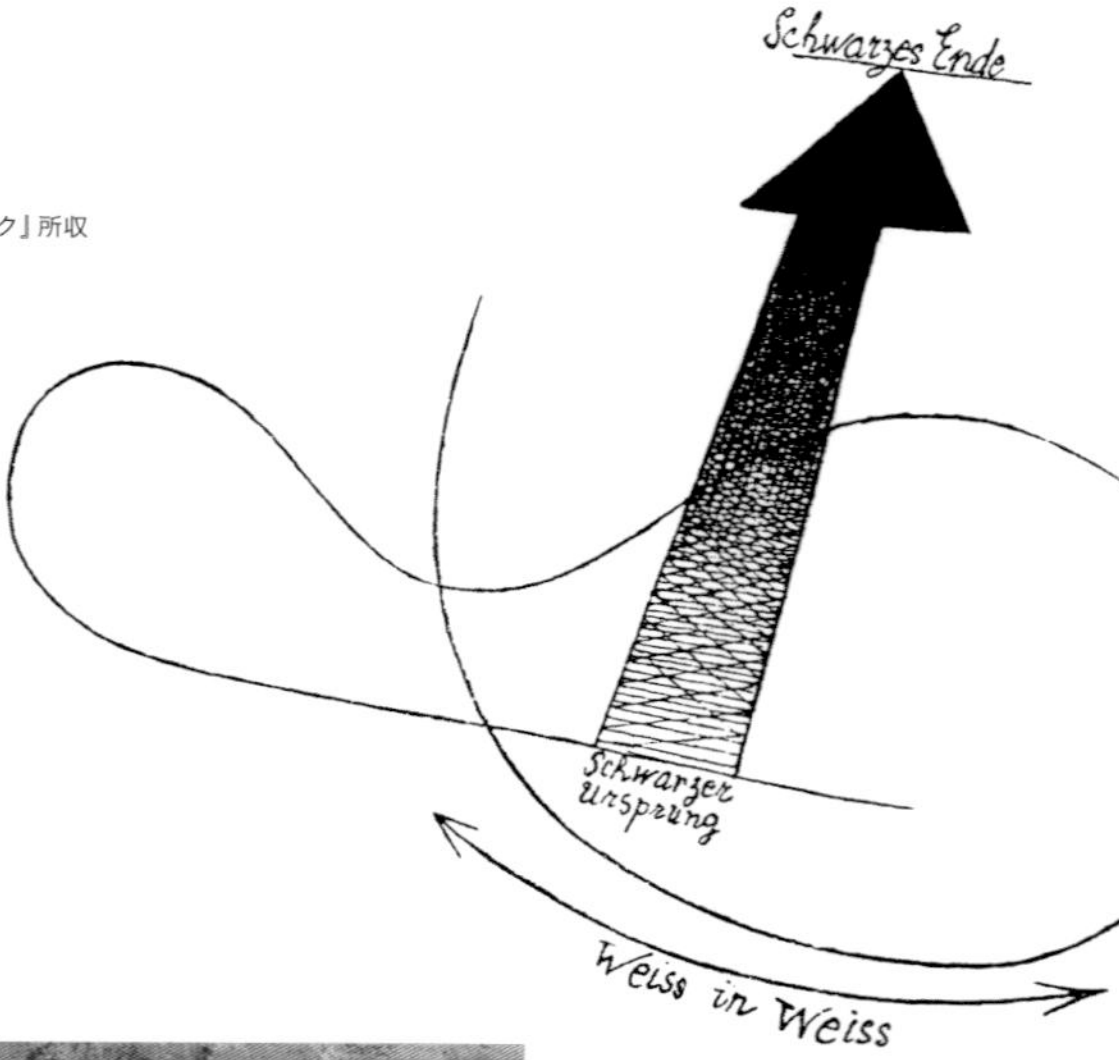

「黒い矢の造形」
バウハウス叢書第2巻
パウル・クレー『教育スケッチブック』所収

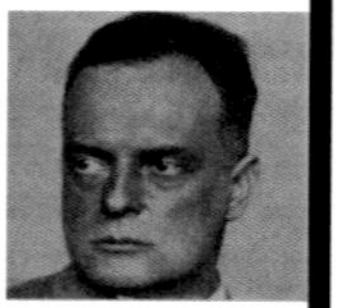

私はさまざまな異なる方向性をもった力が、私たちのバウハウスで共に作用していることを歓迎します。私はまた、その影響が成果に表れるのであれば、これらの力がぶつかり合うことも肯定します。もしも障害が客観的なやり方に留まるのであれば、障害にぶつかることは各々の力にとって良い試練です。

グロピウスの質問へのクレーの回答?、グロピウス・コレクションより
Hans Maria Wingler (Hrsg.), *Das Bauhaus, Weimar, Dessau, Berlin, Chicago*, Verlag Gebr. Rasch & Co., Bramsche, 1962

パウル・クレー
《セネキオ（さわぎく）》
1922年　油彩、カンヴァス
40.5×38cm
バーゼル美術館蔵

「詩のような」ユニークな基礎教育の授業

クレーがバウハウスに招聘されたのは1921年、一部の人々に注目され始めた頃だった。担当した工房は、造本工房やステンドグラス工房など。金属工房も短期間だけ担当した。また、織物工房での形態に関する講義を行なうなど多彩な役割を果たした。しかし、クレーのバウハウスでの教育でよく知られ、評価されているのは基礎教育の分野である。イッテン（のちにはアルバース）の課程を終えた学生を対象に、クレーは「初級平面造形」という授業を受けもった。2代目のハンネス・マイヤー学長の時代には、2学期目の授業に位置づけられた。彼は試行錯誤しつつバウハウスで初めて教鞭をと

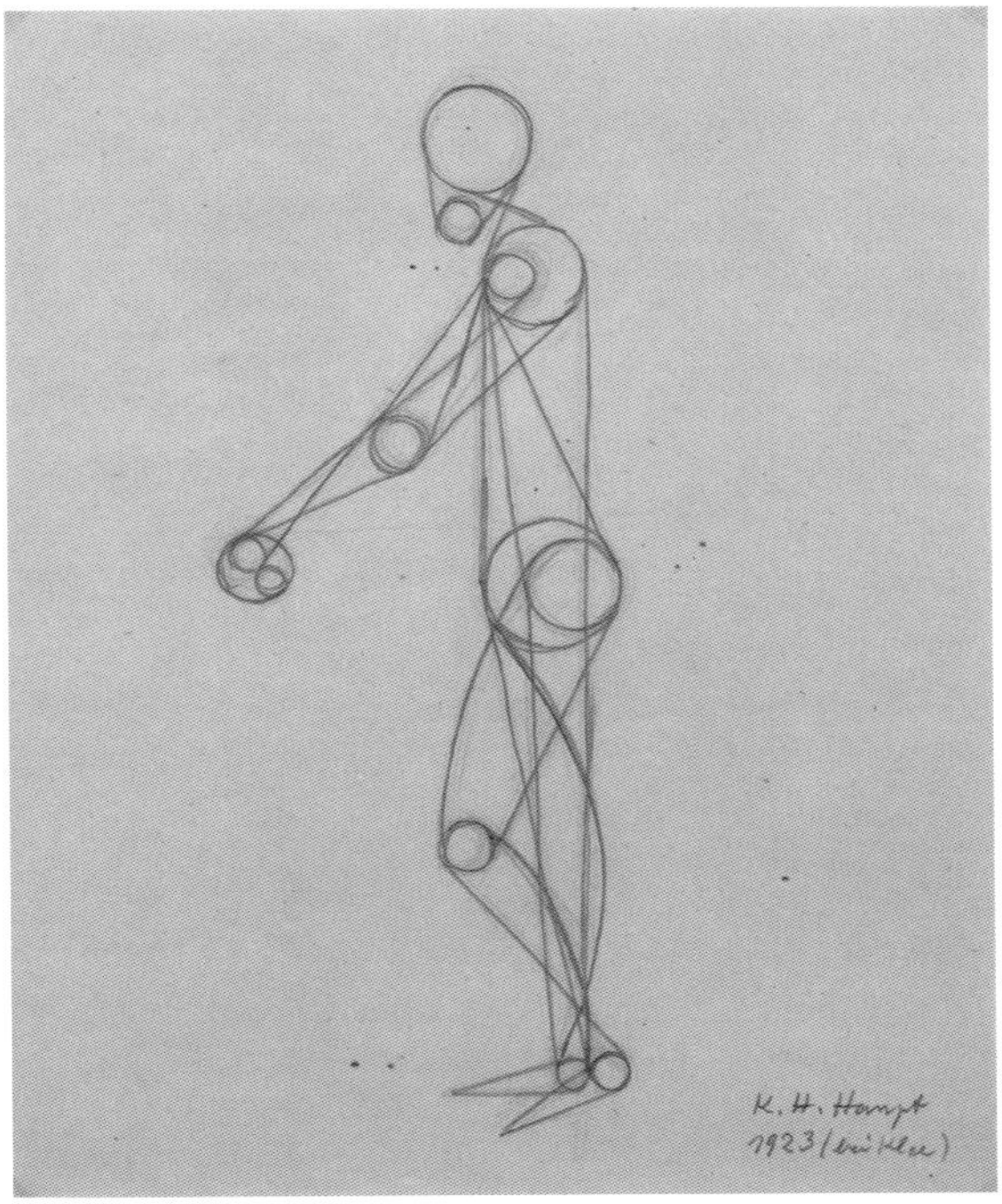

カール＝ヘルマン・ハウプト
《クレーの授業「人体のスタディ」》
1923年　鉛筆　27.5×22.1cm
ミサワ バウハウス コレクション蔵

カール・シールツェック《クレーの授業・2学期：初級平面造形「図形のスタディ」》
1929/30年　鉛筆　41.7×59.2cm
ミサワ バウハウス コレクション蔵

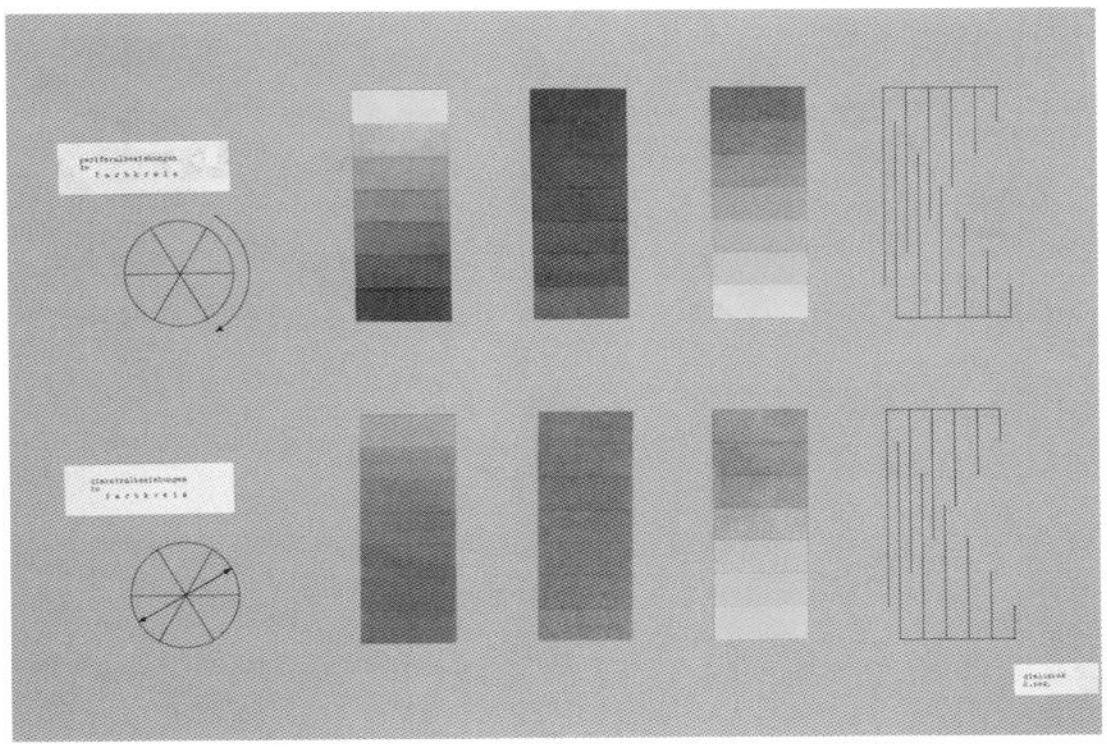

カール・シールツェック《クレーの授業・2学期：初級平面造形「色環の直径上及び円周上の運動」》
1929/30年　水彩　41.8×59.3cm　ミサワ バウハウス コレクション蔵

り、ユニークな授業を組み立てた。

クレーは生来の几帳面な性格から、細かく図と文章が書き込まれた講義ノートを残しており、それによってバウハウスでの授業の詳細を知ることができる。彼の授業は一風変わっていて、まるで詩のようだったため、とりわけドイツ語を母国語としない留学生には難解なことがあった。彼は造形を「運動」と「成長」という観点から説明した。クレーにかかると線は意志をもって走り、ある時は逡巡し、形は生物学的に、そして数学的に解析された。数式が多用されるが、これまでに習ってきた数学とは全く異なる世界が展開される。必要があれば両手にチョークを持ち、2本の線や文字を同時に描きながら説明したという。

1927年から、かねてより学生の要望が多かった絵画のクラスが誕生し、クレー、カンディンスキー、そして、恐らくファイニンガーもそれぞれクラスを持った。クレーは自分の絵画や学生の作品を自由に論じたが、常に、これはひとつの可能性にすぎないのだと言って締めくくった。彼はこれらの授業の中で、自然や、人工物の、あるいは形態そのものの本質を指し示しながら、あらゆるものを包括するような法則をありとあらゆる形で示したが、解はひとつではないということを強調した。あらゆる可能性が開かれているとクレーは考えており、思考を限定することを好まなかったのだ。

ワシリー・カンディンスキー
wassily kandinsky

1866年 モスクワ(ロシア)生まれ／1944年 ヌイイ・シュル・セーヌ(フランス)で死去

在籍期間 1922-1933年

――角が鋭くなればなるほど、その暖かさは強くなり、逆に、赤い直角に向かって暖かさは減少して、鈍角（150）まではますます冷たくなる。それは典型的に青い角であり、曲線を予感させ、さらに進んで、最終目標は円である。

バウハウス叢書第9巻 ワシリー・カンディンスキー『点と線から面へ』宮島久雄訳、中央公論美術出版、1992年(1926)

ワリシー・カンディンスキー《矢印》
1923年　油彩、カンヴァス　140×120cm　個人蔵

理論的な授業を展開したクレーの朋友

カンディンスキーが招聘されたのは1922年。1912年に既に著作『芸術における精神的なもの』が刊行され、著名な芸術家だったカンディンスキーは、その終焉までバウハウスを支え続けた。ヴァイマールでは壁画工房で教えるとともに、基礎教育課程では「抽象的形態の要素」と題して形態と色彩を取り上げ、次の段階として「分析的デッサン」を教えている。

終生親しかったパウル・クレーの詩的な講義とは対照的に、モスクワの大学で法律を修めたカンディンスキーは、常に理論的に、断定的に話した。そのような彼の授業が、色とかたちの組み合わせについて、大論

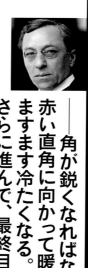

「分析的デッサン」のモデル例。
H.M.Wingler (Hrsg.), Das Bauhaus, Verlag Gebr. Rasch & Co.,Bramsche, 1962所収

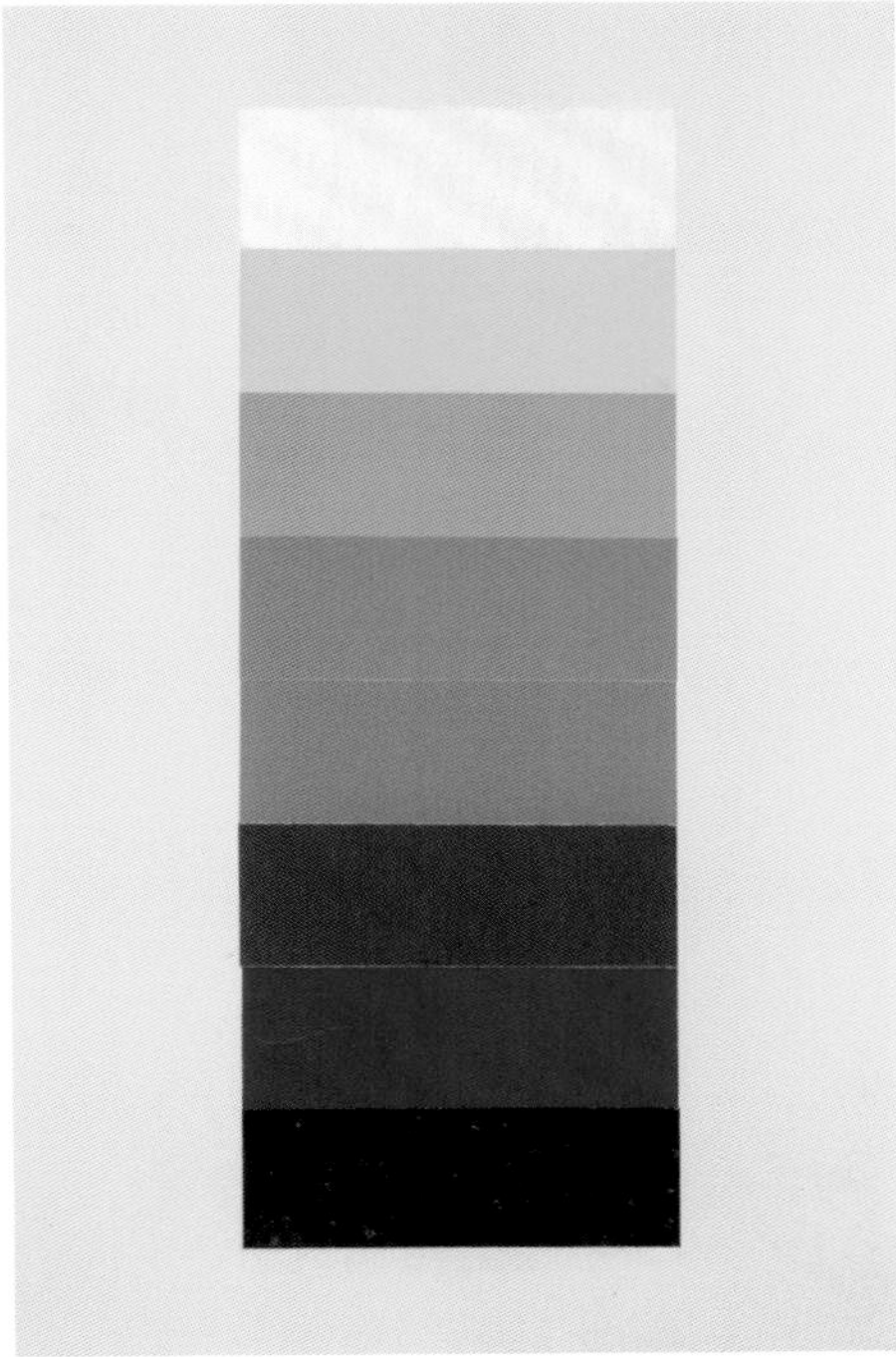

エーリッヒ・ムロツェック《カンディンスキーの授業「色彩演習」》
1929/30年　グァッシュ、コラージュ　31.3×21cm
ミサワ バウハウス コレクション蔵

エーリッヒ・ムロツェック《カンディンスキーの授業「分析的デッサン」》
1929/30年　インク　24×35.6cm　ミサワ バウハウス コレクション蔵

争を引き起こすきっかけとなった。

また、「分析的デッサン」は、カンディンスキー独特の教育であり、彼はこの課題を、ヴァイマールからデッサウ、そして恐らくベルリンまでほとんど内容を変えずに教え続けた。

*とくに面白かったのは形の基本的要素の研究だった。彼は研究室のボールトの横に4、5人の学生に手伝わせ、数個机や椅子やカーテン、時には学生の泥だらけの自転車まで無造作に天井近くまで盛り上げ、一応形が固定すると学生にしばらく凝視させ思案させ、この無意識に積み上げた空間の大きなかたまりの中から、いくつかの単純な基本的形態とその彼の言ういわゆる「形態のスパヌング」を発見させる。

留学生の山脇巌が回想しているように、これは、学校にあるさまざまなものを無秩序に積み上げ、その塊の中から「緊張(Spannung)」の関係性をつかみ、もっとも簡潔な構成を導き出す授業だった。学生の習作を見ると、自転車や机、椅子、ほうきのようなものなど、さまざまなものの輪郭が見えるが、そこから導かれる緊張のラインはものの輪郭とは別に存在する。カンディンスキーの絵画作品は、まさに、この「緊張」のコンポジションなのだ。

*山脇巌「バウハウスの憶い出」より 東京国立近代美術館ニュース「現代の眼」第195号2月号(1971年)

関連ページ P40 [コラム]バウハウスの色とかたち

column

バウハウスの色とかたち

**正方形にもっともふさわしい色彩はなにか？
バウハウスの基本形は円、正方形、三角形。
基本色は赤・黄・青。両者の理想的な組み合わせをめぐって、バウハウスでは激論が交わされた。**

バウハウスの人たちにとって色彩は常に魅力あるテーマだったが、色とかたちの組み合わせについては、大論争が巻き起こるほどの問題となった。そして、それは長くバウハウスの作品にも影響を及ぼした。

「調査研究のため、壁画工房は以下の問題に解答を寄せられることを望みます」

この言葉で始まるアンケートは、1923年、ワシリー・カンディンスキーが色とかたちの組み合わせに関する自分の説を証明するために行なわれた。バウハウスの基礎教育では、基本形と基本色が多くの教師によって取り上げられたが、その両者のふさわしい組み合わせをカンディンスキーが授業で定めたところ、賛否両論で校内を巻き込む大論争となったのだ。騒ぎを沈めるために、カンディンスキーは上記アンケートをとり、その結果、自分の説は証明されたと言った。しかし、彼の説が万人の支持を得たわけではない。色とかたちの組み合わせについては、幾度も論争の場がもたれ、教師も学生も参加して、この正解のない論議に熱中した。

基礎教育で基本形と基本色が取り上げられたため、その次の段階である工房教育では、それらをデザインの拠り所にすることが多かった。その中には、カンディンスキーの説を取り入れたものが多く見られる。例えば、「赤の立方体」と名づけられた住宅案と椅子。ヘルベルト・バイヤーによる階段室の壁画案（上）やペーター・ケラーの揺りかごは、カンディンスキーの色とかたちの組み合わせがそのまま使われていることがわかる。しかし、ケラーの揺りかごが制作されたのは1922年。カンディンスキーのこの論争の前のデザインである。実はこれはバウハウスに基礎教育を導入したイッテンの影響だった。イッテンも色とかたちの組み合わせを研究し、カンディンスキーとは全く異なるアプローチで、同じ結論に達していたのだ。バウハウスにこの組み合わせが多いのは、この2人のマイスターの影響なのである。

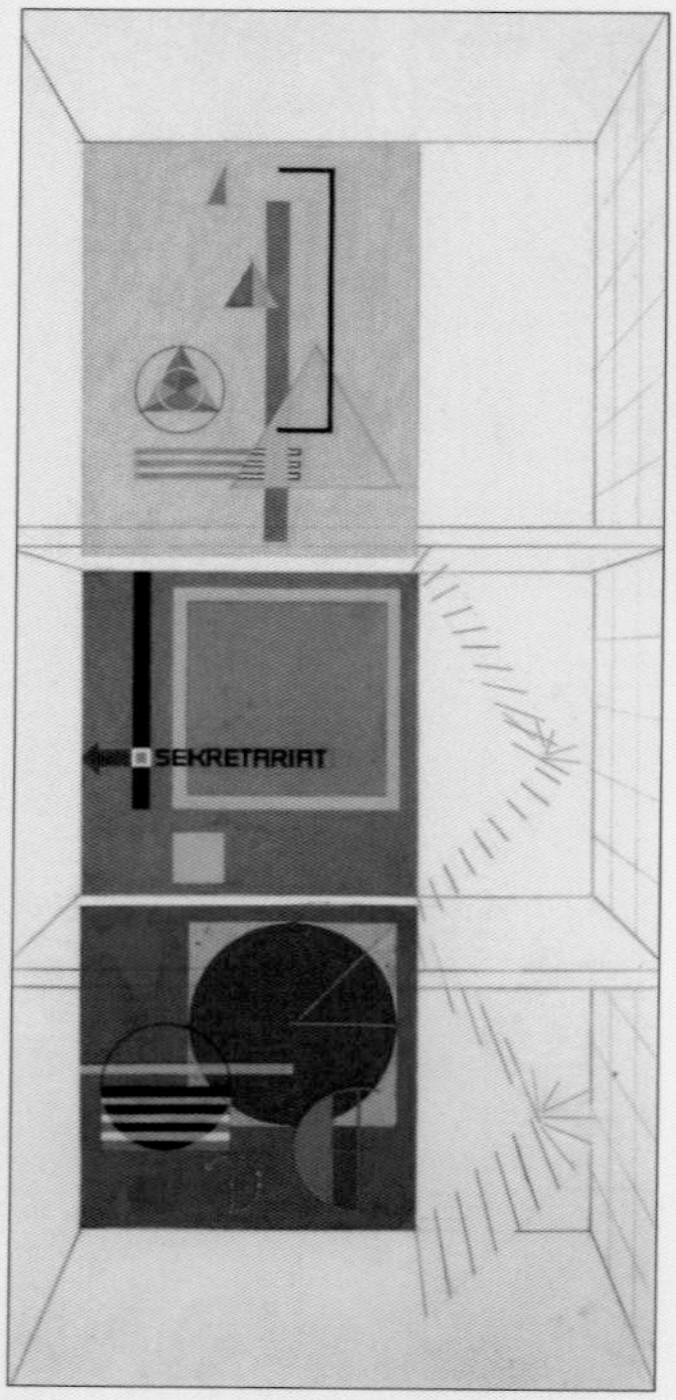

ヘルベルト・バイヤー
《ヴァイマール校舎階段室の壁面デザイン》
1923年　グァッシュ、鉛筆　63.7×26.4cm
ニューヨーク近代美術館蔵

ペーター・ケラー《揺りかご》
1922年
展覧会カタログ『ヴァイマール国立バウハウス1919-1923』所収

column

夜中の画家

カンディンスキーやクレーといった著名な画家をマイスターに迎えながら、バウハウスには絵画の正式なクラスはなかった。しかし恐らくそれゆえに、学生たちの絵画は、純粋な「描く喜び」にあふれている。

エーリッヒ・ボルヒェルト《アムステルダムⅠ》
1929年　和紙に油絵具で謄写、水彩　31×41.8cm
ミサワ バウハウス コレクション蔵

ルドルフ・フランツ・ハルトフ《説教》
1921年　エッチング　14.8×22.7cm
ミサワ バウハウス コレクション蔵

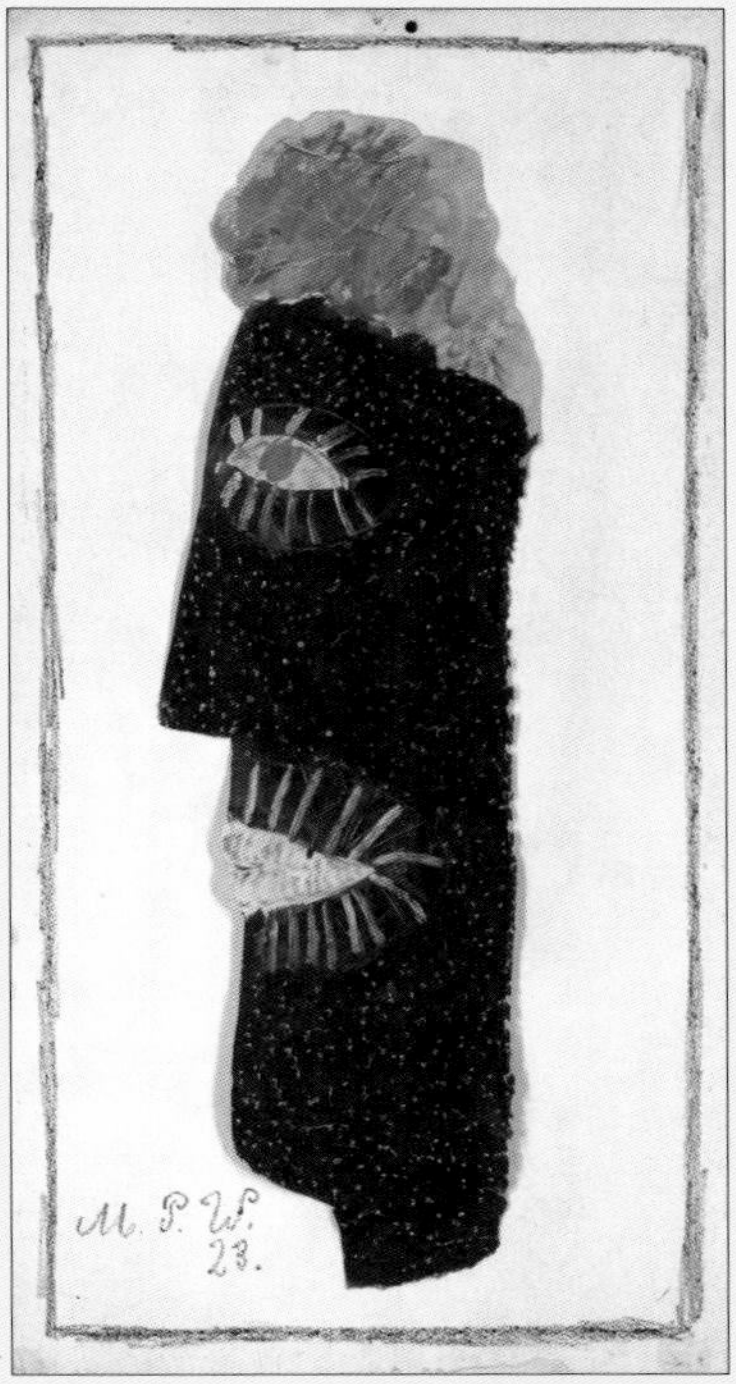

マックス・パイファー＝ヴァーテンフール《頭部》
1923年　コラージュ、水彩　58×28.5cm
ミサワ バウハウス コレクション蔵

「夜、バウハウスの部屋とスタジオをのぞいてみる機会のあるものは誰しも、いかに大勢の画家が、画架の前に立って、カンヴァスに熱心に画を描いているかを見てびっくりするだろう」

ハンネス・マイヤー時代にバウハウス機関誌の編集者を務めたエルンスト・カライは、こう述べている。バウハウスは大量生産と規格化のためのデザインをめざした、いわゆる応用芸術を扱う学校だったが、この学校から絵画が消滅することは決してなかった。多くの学生が授業とは関わりなく絵筆をとっていたのだ。教師陣にカンディンスキーやクレーなどの画家がいたのだから、彼らに絵画を学ぶことを希望してバウハウスに入った学生も少なくなかった。

学生たちからの熱心な要請を受けて、ついに1927年からは、正規の工房教育とは別に自由絵画教室が設けられ、カンディンスキーとクレー、そしてファイニンガー＊が教鞭をとった。しかし、授業であろうとなかろうと、ただ純粋な喜びとともに学生たちは時間を見つけては絵筆を握っていたのだ。

＊ファイニンガーは学校の書類上では自由絵画教室の教師としてあげられていたが、実際に講座が開かれたかどうかは定かではない。

ラースロー・モホイ＝ナジ
lászló moholy-nagy

1895年 バーチボルソード（ハンガリー）生まれ／1946年 シカゴ（アメリカ）にて死去

在籍期間 1923-1928年

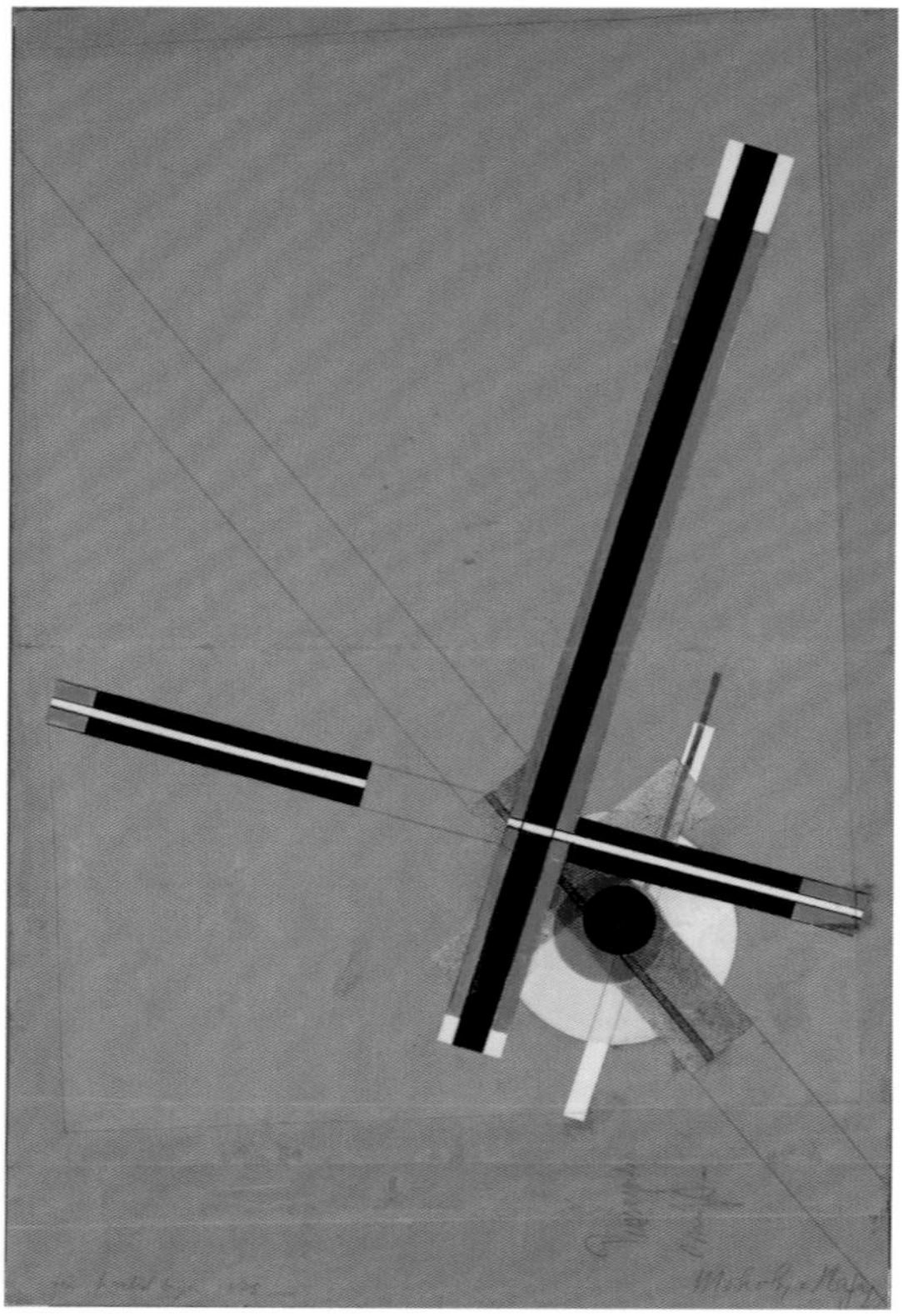

ラースロー・モホイ＝ナジ
《無題》
1928年　混合技法
46.5×30.1cm
ミサワ バウハウス コレクション蔵

だれもがミケランジェロやホイッスラーになれるものではない。しかし子供のときにいろいろな色の玩具を前にして抱いたあの感覚的な直接性を広げ、材料とその特性に創造的に親しみながらそれを高めていけば、初めて自分がより高い存在になったと感じることだろう。

バウハウス叢書第14巻 L・モホリ＝ナギ『材料から建築へ』、宮島久雄訳、中央公論美術出版、1992年（1929）

ラースロー・モホイ＝ナジ
《ライト・スペース・モデュレーター
（電気舞台のための光の小道具）》
1922-30年　写真

バウハウスに新風を吹き込んだマイスター

モホイ＝ナジは、イッテンがバウハウスを去ったあと、1923年に招聘され、「芸術と技術の新しい統一」という新しい理念を発展させる中心的存在として活躍した。彼は工房での指導と並行して、アルバースとともに基礎教育を受け持ち、1学期目はアルバースが、2学期目の授業をモホイ＝ナジが担当した。

彼の授業では、さまざまな素材の触覚訓練から始まって、加工による表面処理や材料の構造分析などの体験によって材料を把握する。例えば、柔、堅、滑、粗、乾、湿など多様な触覚を持つ素材を集めた触覚板の制作。穴を開ける、こする、ヤスリをかける、突き刺す、押しつけるなどさま

タイトルページのデザイン：ラースロー・モホイ＝ナジ
展覧会カタログ『ヴァイマール国立バウハウス1919-1923』
1923年　25×25cm　ハーバード大学ブッシュ・ライジンガー美術館蔵

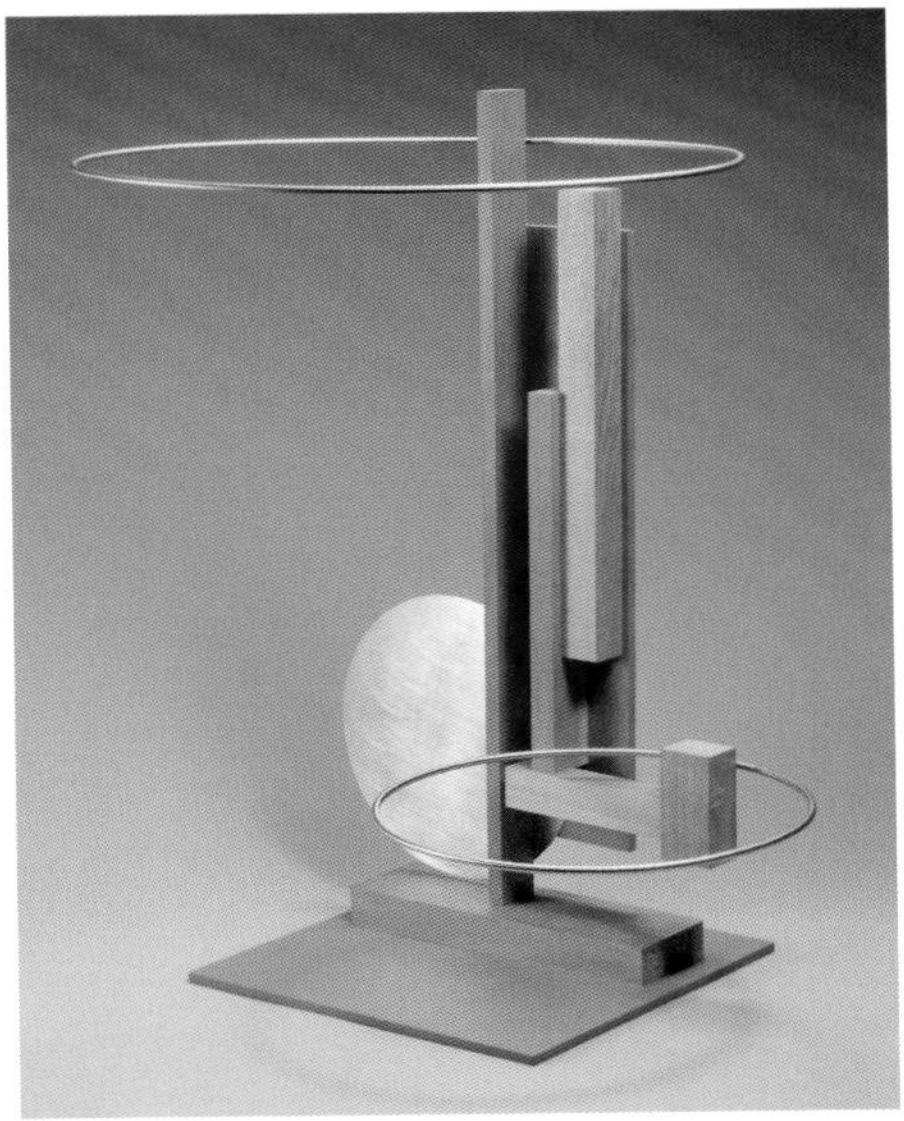

作者不詳《モホイ＝ナジの授業「バランスの習作」》
1924-25年頃、1995年（再制作）
アルミニウムの円板、鉄の輪、木
79×56.5×55.5cm
ミサワ バウハウス コレクション蔵

ざまな方法でひとつの材料に異なる表面処理を施す実習などが知られている。興味深いのは、触覚板の制作後に、その感覚の変化をグラフ化させたことだ。イッテンの造形教育が、あくまで学生一人ひとりの天賦の感覚を開き、個人の芸術的才能を伸ばすことを目的としたのに対して、モホイ＝ナジのこの授業に見られるのは、個人の感覚体験を他者と共有するという新しい方向である。バウハウスが社会と積極的に関わる新しいタイプの芸術家を養成することをめざしたことを考える時、イッテンからモホイ＝ナジへの変化はバウハウスにとって大きい意味があった。

また、「バランスの習作」と呼ばれる実習は、多種多様な材料を組み合わせることでバランスのとれた構成を組み立てるという課題だった。ここでは空間構成とともに、重さ、強度、柔軟さなど素材の特徴を把握し、バランスを崩さないように配置する力が求められた。

指導を担当した金属工房では、それまで金銀細工を主に扱っていたが、モホイ＝ナジがニッケルやクロームメッキの鉄、洋銀、真鍮などを持ち込み、また、金属以外の素材であるガラスを導入したことが大きな発展のきっかけとなった。金属工房は、照明器具のデザインによって工業化の足がかりを得たのである。

モホイ＝ナジがバウハウスにもたらしたものは正規の授業以外にも幾つもある。ひとつは写真だった。彼の影響でバウハウスは写真がブームとなり、さまざまな実験的な作品が生み出された。また、「文字はなによりもまず伝達の手段である」と述べてバウハウスのグラフィックデザインの基礎をつくり、1925年から印刷広告工房のユングマイスターとなったヘルベルト・バイヤーに引き継いだ。

彼の思想と教育方法は、その後もシカゴのニューバウハウス（のちのイリノイ工科大学デザイン研究所）で展開された。

関連ページ　P44［特集］バウハウスの写真、P58［特集］タイポグラフィと文字

バウハウスの写真

光を「素材」と捉えた新しい写真

ラースロー・モホイ＝ナジ
《フォトグラム　ラースローとルチア》
1923年頃　ゼラチン・シルバー・プリント　35×27.2cm　フォルクヴァンク美術館蔵

新しい写真の2つの道と2人のマイスター

バウハウスの写真ははっきりと2つの方向に分かれている。2人のマイスター、ラースロー・モホイ＝ナジとヴァルター・ペーターハンスが、それぞれの方向を推し進めた。

1923年にバウハウスのマイスターに着任したモホイ＝ナジは、バウハウスに写真熱を持ち込んだ張本人でもあった。彼は1922年頃から写真の実験を開始し、それまで再現手段とされていた写真に新たな存在意味を与えた。現実を再現するのではなく、光という新しい素材を使った独立した芸術作品としての写真である。例えばフォトグラム。これはカメラを使わない写真であり、感光紙の上に直接ものを置いて感光させる技法だった（同時期にマン・レイも同様の作品を「レイヨグラフ」として発表している）。この時被写体となる「もの」は光という素材を導く媒介であり、撮影される対象そのものの意味は消滅する。

フォトグラムだけではなく、カメラを用いた写真においても、例えば、極端な仰角や俯瞰、強いコントラスト、ネガとポジの反転、多重露光や一部が切れるほどのクローズアップのポートレイト、そして写真を素材として組み合わせた「フォト・プラスティーク（フォト・モンタージュ）」など、従来の「記録的」あるいは「絵画的」写真とは全く異なる「新たな視覚」を提示した。バウハウスの学生や教師たちは、モホイ＝ナジの影響を受けて、写真の新しい表現手段

被写体の材質までも正確に再現する写真

ヴァルター・ペーターハンス
《死んだウサギ》
1929年　ゼラチン・シルバー・プリント　29×38.5cm　東京都写真美術館蔵

の追求に没頭した。ただし、これらの活動は正規の授業でも、教育課程の一部門でもなかった。彼らは所属する工房とは関係なく、自由な表現活動として、大量の作品を生み出したのだ。

一方、2代目の学長であるハンネス・マイヤーは、広告デザインとルポルタージュにおける写真の重要性を認識しており、1929年に印刷広告工房の特別部門という位置づけで写真部門を新設した。写真部門の指導者として招聘されたヴァルター・ペーターハンスは、モホイ＝ナジの実験的な写真とは違い、完璧な技術で対象の材質感まで写し取るような精度の高い描写を求めた。対象の断片化や故意の歪み、多重露光やフォトグラムといった試みは激しく否定され、対象物の正確で繊細な再現のために、現像処理の理論や光学など、技術面が徹底して指導された。バウハウスの写真部門は写真表現の多様な可能性を広げるものではなく、商業的な目的を満たすためのものと規定され、マイヤーが目論んだように広告とジャーナリズムへの応用という形で発展した。

バウハウス展 1923年

バウハウスの名を世界に知らしめた展覧会

　チューリンゲン州政府の要請で、バウハウスは1923年に成果を世に示すための展覧会を開催した。会期は8月15日から9月末まで。州立ランデス美術館ではマイスターや学生の絵画の展示、校舎では授業や工房で制作された作品の展示があり、展覧会のためにグロピウスの設計でしつらえた新しい学長室も公開された。グロピウスはこのほかに模型、図面、写真によってヨーロッパの新しい建築の流れを紹介する「国際建築展」を企画。展覧会だけではなく、開催直後には「バウハウス週間」と題し、グロピウスやカンディンスキーによる記念講演、音楽会やバウハウス舞台などで構成される充実した内容のプログラムが組まれた。

　なにより話題となったのは、展覧

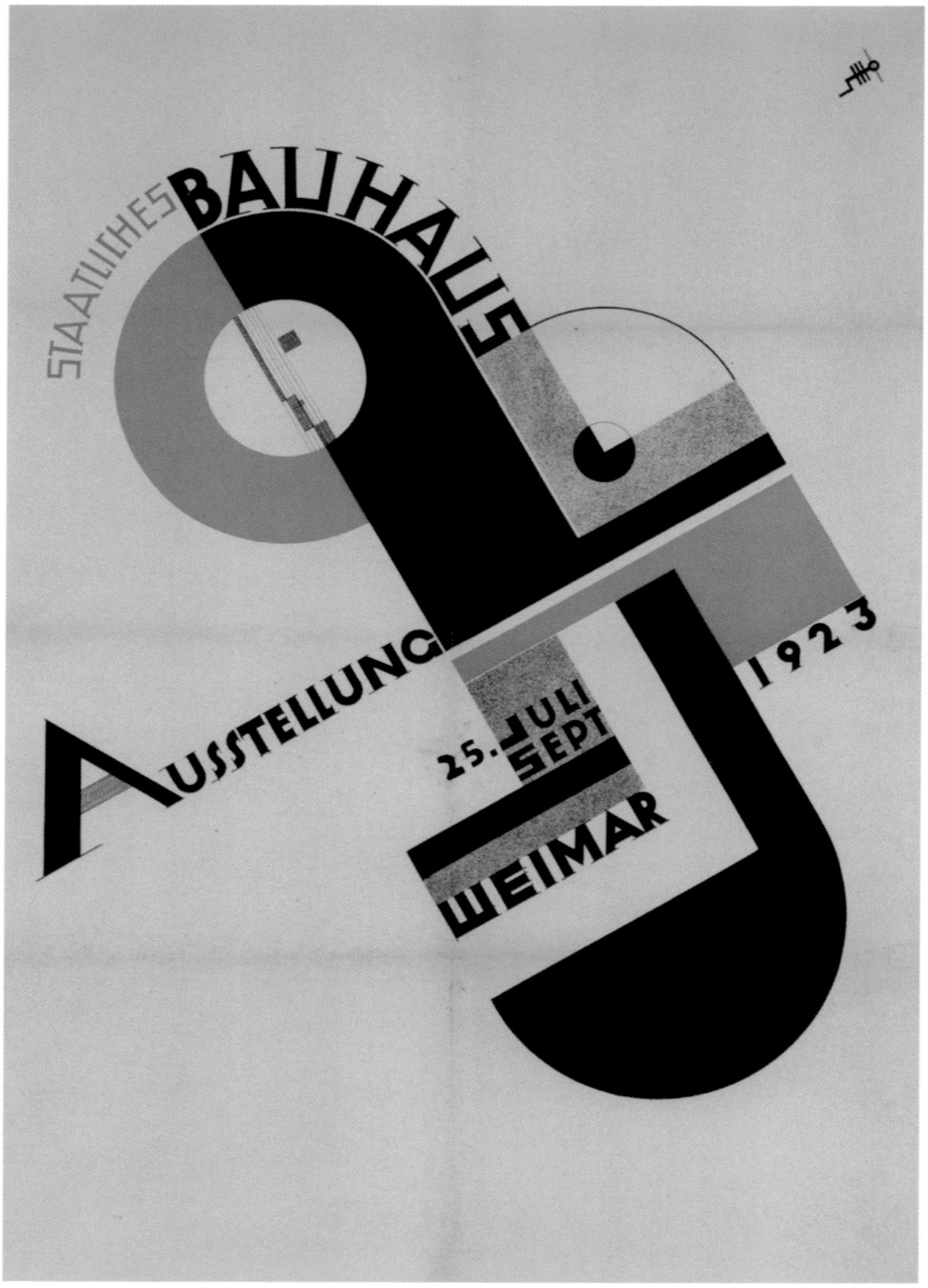

ヨースト・シュミット
《1923年の「バウハウス展」のポスター》
1923年　リトグラフ　69×47.4cm　ミサワ バウハウス コレクション蔵

ひとつの型から多様なデザインを生み出すバウハウスがめざした理想像

組み合わせ式ティーポットの石膏モデル。
展覧会カタログ『ヴァイマール国立バウハウス1919-1923』所収

ることによって、異なるデザインが生まれる。これは、「量産化」というテーマだけでなく、当時のバウハウスが取り組んでいた「規格化」の問題への陶器工房の答えのひとつだった。全体を単純な構成要素に分解し、部品を規格化して量産し、その組み合わせによってデザインを展開する、という考え方は、例えばグロピウスが1922年に構想した「大きな積み木箱」という名前の住宅案にも見られる。これらのデザインは、この時期のバウハウスがめざすべき理想像のひとつであった。

規格化したパーツの量産とその組み合わせによるヴァリエーションの実現という考え方は新しく、バウハウスの人々を魅了したのだが、当初のデザインがいかに思想に偏っていたかは、ボークラーのポットでも明らかである。このシリーズは工場では生産されず、1923年末に鋳造の臨時施設が設置されてからバウハウスの工房内でつくられたが、*泥漿《でいしょう》鋳込《いこみ》で本体をつくっても、ほかの部品の作成や注ぎ口の加工は手作業であり、ひとつの型からの展開にこだわるあまり注ぎ口及びふたは小さく、焼成の過程で本体天部中央が下がってしまう恐れがあった。デザインがこなれていないのは、「ひとつの型で多様なデザイン」という思想が優先されていたことを示している。しかし、まずは「思想を可視的に提案する」こと自体が、この時期のバウハウスには必要だったのだ。同時期にリンディッヒによってデザインされた、花瓶からティーポットへと展開するシリーズは、形態的に無理がなく、実際にその後工場で生産され大きな成果をあげたのだが、プロパガンダとしてのインパクトはボークラーのティーポットの方が断然大きかった。規格化してもヴァリエーションを失わないのだということを強くアピールするという意味において、この作品は大変重要だったのだ。

*泥漿鋳込＝石膏製の雌型に泥状の陶土を流し込み、石膏が水分を吸収し固まったのちに型を外す成形方法。

関連ページ　P⑰「大きな積み木箱」ユニット住宅の構想

column

バウハウスの学生生活

バウハウスの学生たちは、どんな生活を送っていたのだろうか？　バウハウスは変化し続けていたので14年間一律ではなかったのだが、それを踏まえて当時の生活を探ってみよう。

撮影者不詳《デッサウの予備課程の教室》
1929年　写真　ミサワ バウハウス コレクション蔵

●入学試験

基本的にない。過去に制作した作品を提出して、マイスター会議で審議された。初期にはイッテンの面接があったらしい。マイヤー学長の時代は、希望者はできる限り受け入れるという方針で、定員150人を大幅に上回る学生を収容していた。

●修学期間

学期制がとられており、1年が夏学期と冬学期の2学期に分かれ、どちらも新入生をとったので、日本の1年がバウハウスの1学期と同じ扱いと考えてよいだろう。修了までにかかる期間は、14年間で変わり続けた。ヴァイマール時代は、まだ建築部門が設置されていなかったので、修学期間は定まっていない。1922年の学校案内には、1学期（半年間）の予備課程のあと、6学期（3年間）の工房教育があり、それから建築に進むとある。その後、基礎課程2学期→工房実習6学期→建築教育3学期の11学期（5.5年）制になり、マイヤー学長時代には、建築コースは9学期、それ以外は7学期と定められた。以後、社会状況を反映してカリキュラムが縮小され、ベルリンでは建築教育を中心とした7学期（3.5年）のコースが組まれた。

●住居

デッサウ時代には、運がよければ、校舎のアトリエ棟に住むことができた。つくり付けのベッドと洗面台を持つおよそ8～10畳ほどの居室で、小さなバルコニーがついている側とない側があり、トイレとシャワー、浴室は共同使用だった。ここで学生たちは、徹夜で課題を制作したり、ささやかなパーティを開いた。大量のスナップ写真が当時の日々を生き生きと伝えている。

●年齢制限

初期には年齢は条件になく、恐らく一番若い学生のひとりはフェリックス・クレー（1907-1990）、14歳だった。彼はパウル・クレーの息子で、1921/22年の冬学期からバウハウスで学んだ。どうやら、14歳でバウハウスに入った学生はひとりではなかったようだ。しかし、1925年の学校案内には、17歳以上と記載され、1930年には18歳以上となった。なお、上限はなかった。

●時間割

月曜日から土曜日まで、朝8時から始まり、昼食を挟んで午後は6時か7時、週に何日かは午後9時まで授業があった。基礎教育課程の工作実習や、工房教育には長い時間が確保されていた。また、1927年から体育の授業が設けられ、男女別に先生がついていた。留学生の山脇道子によると、組み体操などが行なわれていたらしい。

撮影者不詳《学生たち（アトリエのバルコニー）》
1932年頃　写真　ミサワ バウハウス コレクション蔵

ユングマイスター

jungmeister

優秀な学生が教師に。バウハウスの精神を具現化するユングマイスター

1925年10月14日、バウハウスはデッサウで新しいスタートを切った。新生バウハウスには、5名の新しい教師の名があった。ユングマイスター（若親方）として、優秀な学生が教師に選ばれたのである。1922年から既に非公式で基礎課程を教えていたヨゼフ・アルバース、彫刻工房を担当するヨースト・シュミット、家具工房のマルセル・ブロイヤー、新設された印刷広告工房のヘルベルト・バイヤー、そして壁画工房のヒネルク・シェーパーである。同年4月に織物工房の技術マイスターに任命されたグンタ・シュテルツルの名は1925年時点では書類上は出ていないが、形態マイスターのムッヘが1926年にバウハウスを辞めると、ユングマイスターとして織物工房の責任者となった。

彼らは、グロピウスがバウハウスで養成しようとした新しいタイプの芸術家の栄えある第1号だった。そして彼らは、バウハウスで同じ造形基礎教育を受けたので、専門分野は違っても造形の共通言語を持ち合わせていた。それはバウハウスの大きな強みとなり、異なる領域の工房間の連携はよりスムーズになった。例えば織物工房では、家具工房で開発した新しい鋼管家具のための背と座面用に丈夫な布地を研究し、印刷広告工房では、各工房の新製品の広告やカタログをデザインした。グロピウスがつくり上げた造形学校バウハウスの成果は、まずなによりも彼ら6人だったのだ。

ヨゼフ・アルバース（54頁）

ヘルベルト・バイヤー（56頁）

ヨースト・シュミット（60頁）

マルセル・ブロイヤー（62頁）

ヒネルク・シェーパー（66頁）

グンタ・シュテルツル（67頁）

ヨゼフ・アルバース
josef albers

1888年 ボトロップ（ドイツ）生まれ／1976年 ニューヘブン（アメリカ）で死去

在籍期間 **1920-1933年**

Bequest of Richard S. Zeisler. Inv. N.: 2007.81. New York, Whitney Museum of American Art.

ヨゼフ・アルバース《正方形への賛歌》
1967年　油彩、厚紙　121.6×121.6cm　ホイットニー美術館蔵

アルバースの「正方形への賛歌」シリーズは、彼が長年取り組んだ色彩の相互作用に関する研究の成果でもある。色彩は隣り合う色によって違う色に見えたり、時には透けて見えるが、これは錯視の効果なのだ。この作品群において、色彩の相互作用はアルバースによって緻密にコントロールされ、ニュアンスを極力廃した色面に豊かな奥行きをもたらしている。

試みの際に、学生は革新的だと思っていたものが既に存在していたとしばしば気づく。しかし、それは損失ではない。成果は身を以て知り、それ故に自分の財産となった経験そのものであり、教わったのではなく自分で学んだのだから…。

ヨゼフ・アルバース「創造的教育」1928年にプラハで開催された第6回製図・美術教育・応用美術国際会議での講演より
Hans Maria Wingler (Hrsg.), Das *Bauhaus, Weimar, Dessau, Berlin*, Verlag Gebr. Rasch & Co.,Bramsche, 1962

イッテンを引き継ぎ 独自の授業を展開

1920年にバウハウスに入学した時、アルバースは既にベルリン、エッセン、ミュンヘンで芸術を学んでいた。彼はバウハウスでイッテンの予備課程を受けたのち、壁画工房、ステンドグラス工房で活動した。バウハウスを去ったイッテンの代わりに1922年から非公式に予備課程で教え、23年に加わったモホイ＝ナジとともに基礎教育を担当した。1925年10月、デッサウでの新生バウハウスでユングマイスターとなり、基礎教育を中心に、一時期家具工房も担当している。バウハウスではステンドグラスのほか、家具や金属器などの作品も知られている。

アルバースは、イッテンの予備課

photo:©Otto Umbehr

簡単なキーワードしか与えられないまま、学生たちが試行錯誤してつくった作品を、アルバースが解説していく。彼の言葉で、学生たちは初めてこの課題の目的に気づいていくのだ。

アルトゥール・シュミット
《アルバースの授業「素材の構造（ガラス、木、鉄、剛毛）」》（部分）
1929/30年頃　鉛筆
22.1×33.7cm
ミサワ バウハウス コレクション蔵

程を引き継ぎながらも、彼独自の授業を展開した。彼が考える基礎教育の目的は、次の3点だった。

1. いろいろな材料と道具に慣れさせ
2. いろいろな方法で自然を研究させ、造形の基本要素と方法を学ばせ
3. 造形に必要な数学、物理学、化学を学ばせること

1をアルバースが、2をモホイ＝ナジが担当し、3をほかの講師が行なうというシステムがとられた。

アルバースはこの課程で、特に材料研究に力を入れた。材料のデッサンから始まり素材を徹底的に研究させる。この時のキーワードは「経済性」だった。素材の特性を活かし、材料を無駄なく使い切ること、できる限り工程を少なくすること、そして最大の効果を得ることが求められた。

彼の授業では、予備知識もないままいきなり課題が与えられる。学生たちは自分で考えて何かを制作しなければならない。授業の終わりには作品を並べて車座に座り、それぞれの作品についてのディスカッションが行なわれたという。

有名な課題に、紙を扱う演習がある。ここでは、加工法を「切る、折る、曲げる」に限定しており、材料を残したり、あとからつけ加えることは禁じられた。こうして紙という材料の新たな可能性を試行錯誤ののちに発見させるのだった。また、アルバースは時間をかけて試行錯誤することの重要性を知っていた。それは、アメリカ亡命後、ブラック・マウンテン・カレッジなどでの教育活動でも、彼が大事にしたことだった。

アルバースは、色彩の相互作用と、線による錯視の効果について、長年研究した。彼は優れた教育者であると同時に画家でもあり、作品には、その研究成果が現れている。彼の研究はのちのオプ・アートのアーティストにも大きな影響を与えた。

ヘルベルト・バイヤー
herbert bayer

1900年 ハーク（オーストリア）生まれ／1985年 サンタ・バーバラ（アメリカ）で死去

在籍期間 **1921-1928年**

適切な広告デザインは、まず第一に心理学と生理学の原則に基づいているべきである。今日、広告デザインはほとんど直観的に取り扱われる事柄に過ぎない。そのためにその効果の確かな計算も正確な目標設定も不可能である。

Herbert Bayer, "Typographie und Werbsachengestaltung", *Bauhaus, Zeitschrift für Bau und Gestaltung*, 2Jhg., Nr. 1, 1928

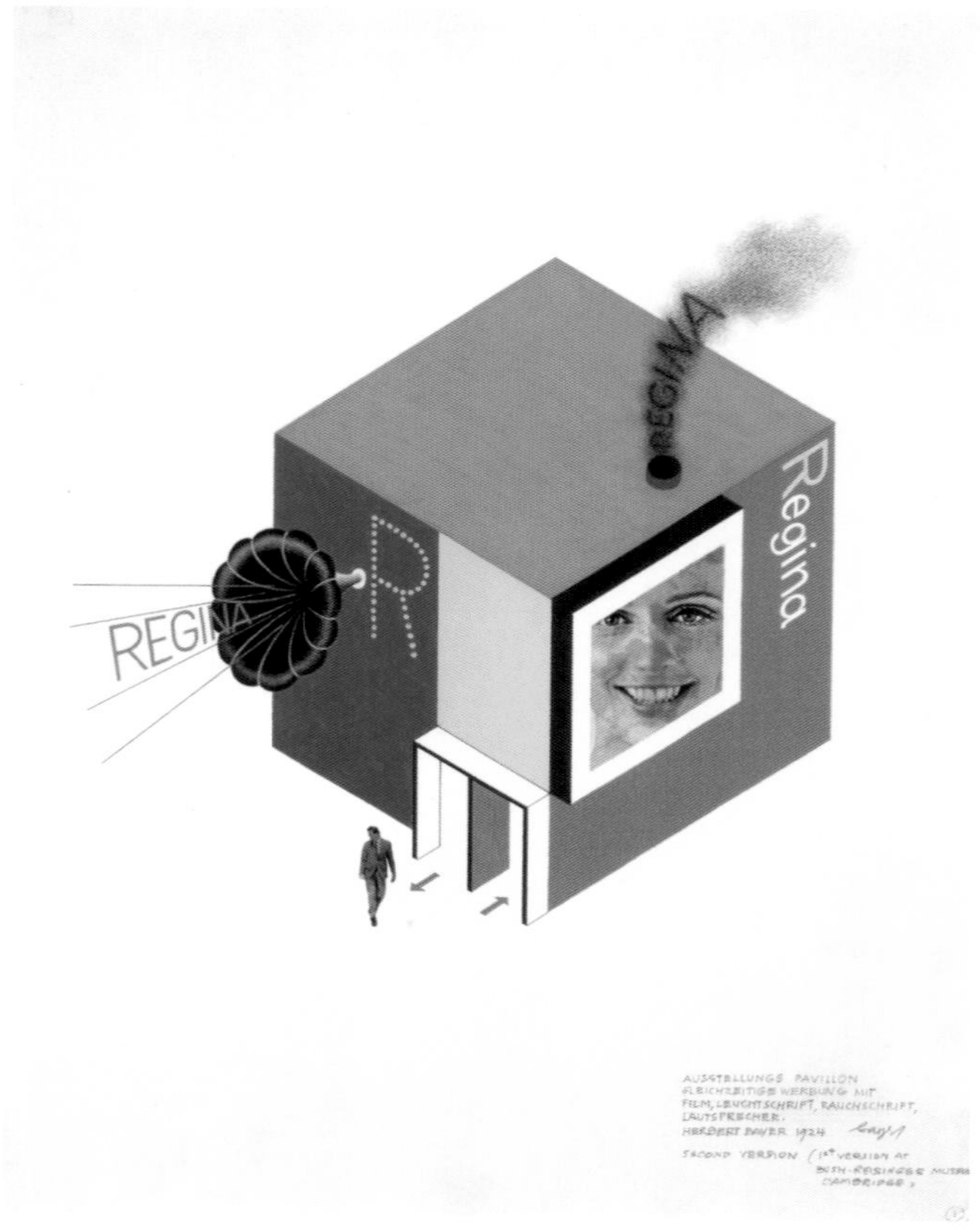

ヘルベルト・バイヤー《展覧会パビリオン案》
1924年（再制作版：1966年）
グァッシュ、フォトモンタージュ　55×42.5cm　ミサワ バウハウス コレクション蔵

学生時代から才を発揮したグラフィックデザイナー

1923年に開催されたバウハウス展の展覧会カタログ（47頁）は、その内容だけでなく本そのもののグラフィックデザインが大変注目された。中でも黒地に赤と青の文字を大きく配した表紙のデザインは、当時のデザイナーに大きな影響を与えた。デザインしたのは、ヘルベルト・バイヤー。壁画工房の学生だった。学長グロピウスが彼を高く買っていたのは、同年チューリンゲン州政府から依頼された緊急紙幣のデザインをバイヤーにやらせたことからもわかる。1925年に彼はユングマイスターに選ばれ、新設された印刷広告工房の責任者となった。

バイヤーは、モホイ＝ナジがヴァイマールのバウハウスに導入した、飾りのない太いサンセリフ書体に太い線を組み合わせた力強い構成を受け継ぎながらも、要素を減らし、より洗練させて、学校案内やレターヘッド（73頁）、広告など各種印刷物

Photo: ©President and Fellows of Harvard College

ヘルベルト・バイヤー《カンディンスキー生誕60年記念展のポスター》
1926年　47.7×63cm　ハーバード大学 ブッシュ・ライジンガー美術館蔵

のデザインを行なった。彼はしばしば、モノトーンに加えてもう1色をアクセントに使った。その際は朱赤が選ばれることが多かった。それは極めてシンプルながら効果的で、バウハウスという注目すべき造形学校を外部により明確に印象づけた。

また彼は、写真を効果的に使用し、文字を画面の構成要素として組み合わせた印象的な広告デザインや、幾何学的な書体の開発など、バウハウスのグラフィックデザインを牽引した。

バイヤーは1928年にグロピウスの退陣を受けてバウハウスを辞し、広告代理店「スタジオ・ドルラント」のドイツ事務所での仕事を中心に、ベルリンでグラフィックデザイン、タイポグラフィ、絵画、写真の各分野で活躍した。1938年に渡米し、グラフィックデザインで大きな影響を与えたほか、絵画、彫刻、展示デザイン、さらに造園や建築設計をも手掛けた。1938年にニューヨーク近代美術館で開催された「バウハウス1919-1928」展のデザインを行ない、1968年のシュトゥットガルトから1971年の東京会場まで世界を巡回した「バウハウス50年」展でも、展覧会企画に関わるとともに展覧会印刷物のグラフィックデザインと展示デザインを担当した。

表紙デザイン：ヘルベルト・バイヤー
展覧会カタログ『パリ装飾芸術家協会展「ドイツ部門」』
1930年　紙、塩化ビニール、印刷　14.8×21cm
東京国立近代美術館蔵

空押ししたエンボス文字に輪郭なし影付き文字が重ねられ、おもしろい効果を生んでいる。

➡関連ページ　P58［特集］タイポグラフィと文字、P④緊急紙幣

タイポグラフィと文字

ヘルベルト・バイヤー
《新しい書体の実験》
雑誌『オフセット、本と広告の芸術』バウハウス特別号　1926年第7号所収
まだ「ユニバーサル」の表記がない実験段階だが、円と直線での構成が既に独特なデザインを生んでいる。

近代の印刷物は明晰、簡潔、正確を基礎としなければならない

バウハウスで開発されたユニークな文字

　バウハウスでのタイポグラフィの取り組みは、1923年にバウハウスに加わったラースロー・モホイ＝ナジによってスタートした。どんな時代でも固有の視覚形態とそれに関連した固有のタイポグラフィを持っていると考えるモホイ＝ナジは、近代の印刷物は明晰、簡潔、正確を基礎としなければならないと述べた。簡潔でひと目で判別できる文字として、彼は飾りを持たないサンセリフといわれる書体を選び、太い線や点といった記号を強調のために効果的に配した、力強いレイアウトをバウハウスに導入した。それは人目を引き、バウハウスの新しい試みと結びついた。それを引き継いだヘルベルト・バイヤーは、1925年のデッサウへの移転に伴って新設された印刷広告工房の責任者となり、モホイ＝ナジのデザインをよりシンプルに洗練させ、バウハウスのグラフィックデザインの統一されたイメージをつくり上げた。サンセリフ書体で小文字だけで組んだ「bauhaus」に、朱色に近い赤色の矩形でアクセントをつけたレターヘッド（73頁）は、強くこの学校の新しさを印象づけた。

　当時、バイヤーを中心に、大文字を廃し小文字のみを使う取り組みが行なわれており、バウハウスのあらゆる印刷物は、見出しはおろか本文もすべて小文字で組まれていた。これは、大文字と小文字はそもそも由来が異なるものであり、デザイン的に相容れないものであるから、また、小文字だけで組めば大文字の活字が必要ないからという理由だった。この試みは結局のところ社会には根づかなかったが、かえって現在でもひと目でバウハウスとわかる特色のひとつとなった。

　使える書体の選択肢があまりなかったので、バウハウスでは書体のデザインが盛んに行なわれるようになった。バイヤーは円、直線といくつかの円弧を使って、幾何学的な書

表紙デザイン：ヨースト・シュミット
機関誌『バウハウス』第3巻 第2号
1929年　凸版印刷　29.6×21cm
ミサワ バウハウス コレクション蔵

ヨゼフ・アルバース《組み合わせ文字3》
機関誌『バウハウス』第4巻第1号所収

正方形、1／4円、円の3つのパーツの組み合わせでアルファベットや数字、記号がつくられている。

体をつくった。ユニバーサル書体と名づけられたそれは、従来の書体が国やその地の文化と結びついて強く地域性をイメージさせるのに対して、世界中で広く使われるための、文化の色がついていない書体として開発された。バイヤーは幾つものヴァリエーションをつけてこの書体を展開させた。

ヨゼフ・アルバースがデザインした「組み合わせ文字3」もまた、大変ユニークなものだ。ポスターや広告の見出し文字として考案されたこの文字は、円、正方形、1／4円の3つのパーツの組み合わせでアルファベットと数字、記号をつくるもので、大文字と小文字、縦横比の異なる文字もつくることができた。その後、円の代わりに三角形を使う書体もつくられた。縦中心があいているこれらの書体は、脳内で即座に足りない部分を埋めて文字を理解する人間の認知機能を利用していた。バイヤーが1930年に制作した「輪郭なし影付き」の書体も同様だ。厚みのある白い文字を白い紙の上に置いて、一方から強い光をあてて影を生じさせたような書体で、影部分だけで文字を認識することができる。この書体は、ほかの文字の上に重ねることによってさらにおもしろい効果を生み出した（57頁左下）。

また、バウハウス・デッサウの基礎教育課程でレタリングの授業を担当し、バイヤーの後任で印刷広告工房を担当したヨースト・シュミットも、さまざまな書体を開発した。機関誌『バウハウス』第3巻表紙は彼がデザインし、自身のつくった書体で題字「bauhaus」が組まれている。

➡ 関連ページ　P54 ヨゼフ・アルバース、P56 ヘルベルト・バイヤー

ヨースト・シュミット
joost schmidt

1893年 ヴンストオルフ（ドイツ）生まれ／1948年 ニュルンベルク（ドイツ）で死去

在籍期間 1919-1932年

教育はすべての人間にもたらされるべきであり、思考と感情の調和をはかり、創造力をめざめさせて、それを伸ばしてゆくべきである。

ヨースト・シュミットの言葉より
Hans Maria Wingler (Hrsg.), *Das Bauhaus, Weimar, Dessau, Berlin*, Verlag Gebr. Rasch & Co.,Bramsche, 1962

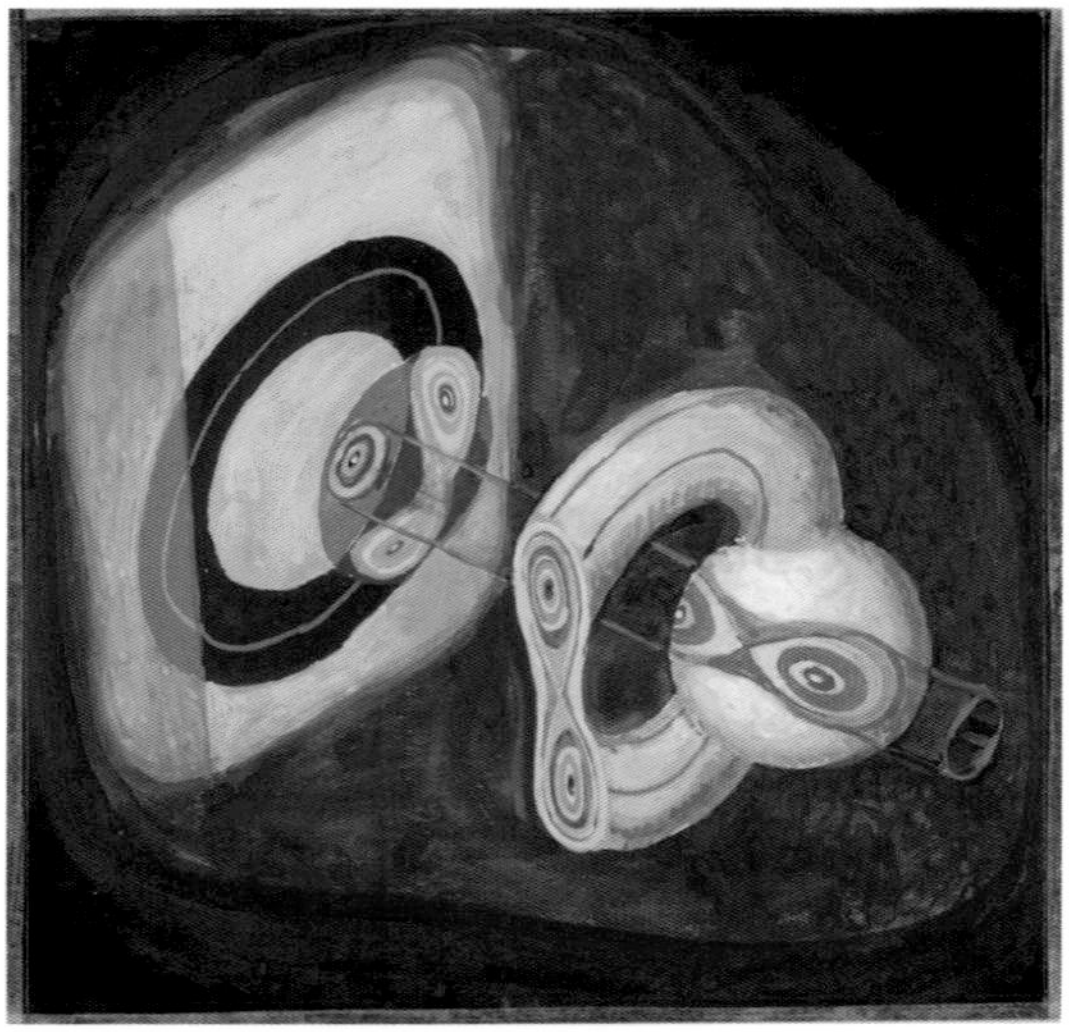

ヨースト・シュミット《曲線による有機的形態》
制作年不詳　グァッシュ　16.5×16.4cm
ミサワ バウハウス コレクション蔵

ヨースト・シュミット《ゾマーフェルト邸の木彫装飾》
1921年　写真　ミサワ バウハウス コレクション蔵

異なる分野をつなぎ新たな領域を開拓した

1923年のバウハウス展のポスター（46頁）で知られるヨースト・シュミットも、多方面に才能を発揮したバウハウス人だった。彼は、バウハウスの前身のザクセン大公立美術工芸学校を首席で卒業し、従軍ののち、1919年にバウハウスに入学。彫刻工房で木彫を学んだほか、独学のグラフィックデザインでも非凡な才能を示した。1923年のバウハウス展のポスターは学内コンペティションで選ばれた2枚のうちのひとつだ。1925年よりユングマイスターとして彫刻工房を指導。また、基礎教育のレタリングの授業を受けもった。

彼は彫刻工房を、従来の彫刻作品を制作する場から、三次元における

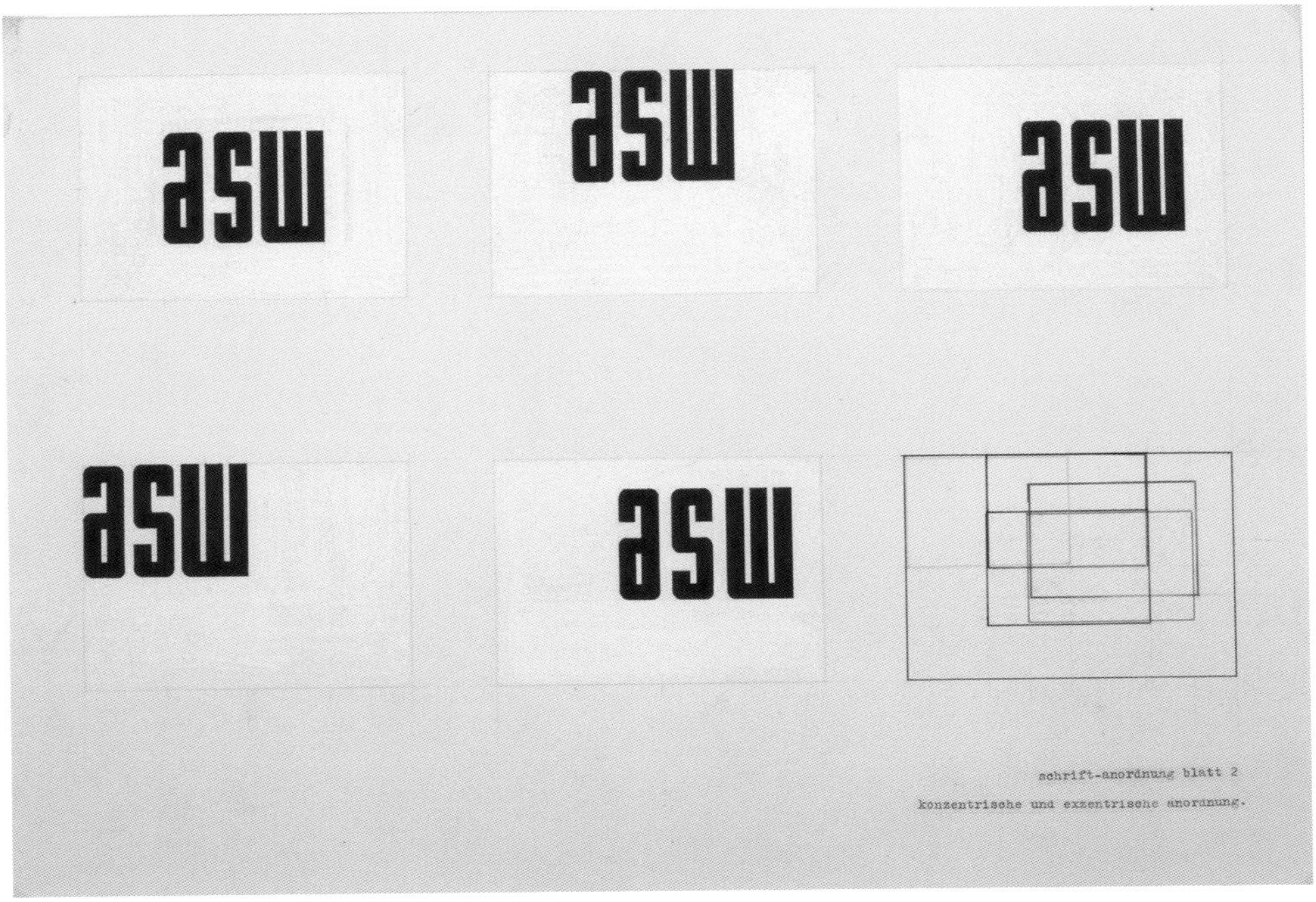

テオ・バルマー
《シュミットの授業「文字の配置２」》
1930年　グァッシュ
29.6×41.9cm
ミサワ バウハウス コレクション蔵

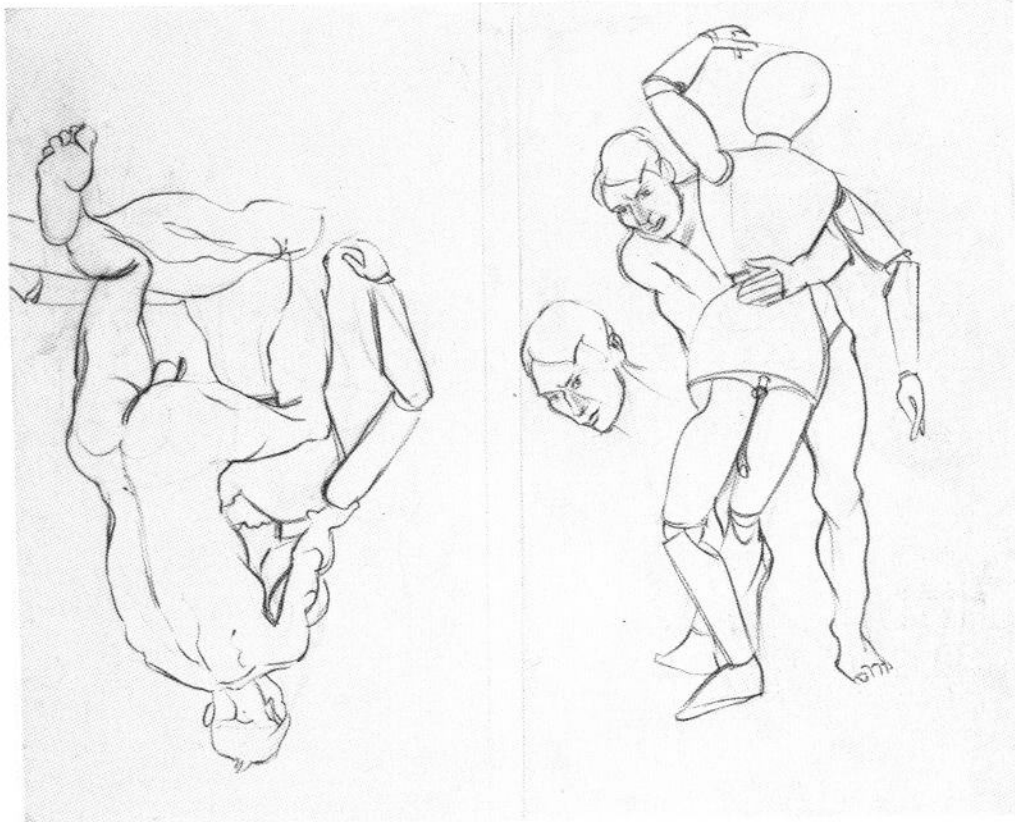

エーリッヒ・ムロツェック（?）
《シュミットの授業「裸体とモデル人形のデッサン」》
1930年　鉛筆　41.8×50.1cm　ミサワ バウハウス コレクション蔵

造形の基礎を養う場に変えた。彼を中心としてこの工房で研究されたのは、空間における物体の関係、運動による外見上の形態の変化、空間と人間の関係といったテーマであった。１９２８年、バイヤーがバウハウスを去ると、シュミットは印刷広告工房も受けもつことになり、彫刻工房での成果が多方面に応用されるようになる。空間構成が平面に取り入れられ、デッサウ市の案内パンフレットの表紙やバウハウス壁紙の宣伝パンフレットのようなダイナミックな表現力を獲得した。また、シュミットは新たに展示デザインの分野に取り組み、成果をあげている。見やすい統一されたレイアウトに写真や図表を効果的に組み合わせたデザインは、現在の展示デザインの源流といえるものである。さらに、１９２９年からは、シュレンマーのあとを受けて基礎教育のヌードデッサンの授業も始めた。そこでも彫刻工房での研究を活かし、等身大のモデル人形と生身の人間を組み合わせる独特な課題をつくり上げた。

　１９３２年にバウハウスを辞めたあともドイツにとどまったが、当時の情勢の中で活動が制限され、美術教育を再開したのは戦後になってからだった。そのため知名度はアメリカに亡命し活躍したバイヤーらに劣るが、バウハウスでの彼の貢献は非常に大きかった。自分のアイデアを惜しみなく人に与え、学生の研究を励まし支援したと、彼を知るすべての人々が、その人柄を称賛した。

関連ページ　P⑨ラッシュ社「バウハウス壁紙」カタログ表紙、P⑩デッサウ市の案内パンフレット表紙、裏表紙

マルセル・ブロイヤー
marcel breuer

1902年 ペーチ(ハンガリー)生まれ／1981年 ニューヨーク(アメリカ)で死去

在籍期間 1920-1928年

…ここでは初めて精密な鋼管が椅子の構造体に利用された。この鋼管は今までに家具に適用されたほかの素材よりも、横断面の部分により優れた耐久性がある。それは結果として並外れた軽さと軽快感を与えた。すべてのタイプは分解可能であり、部品は交換できる。

ブロイヤーの金属製家具 ベルリンのスタンダード家具会社の広告より *Bauhaus, Zeitschrift für Bau und Gestaltung*, 2Jhg., Nr. 1, 1928

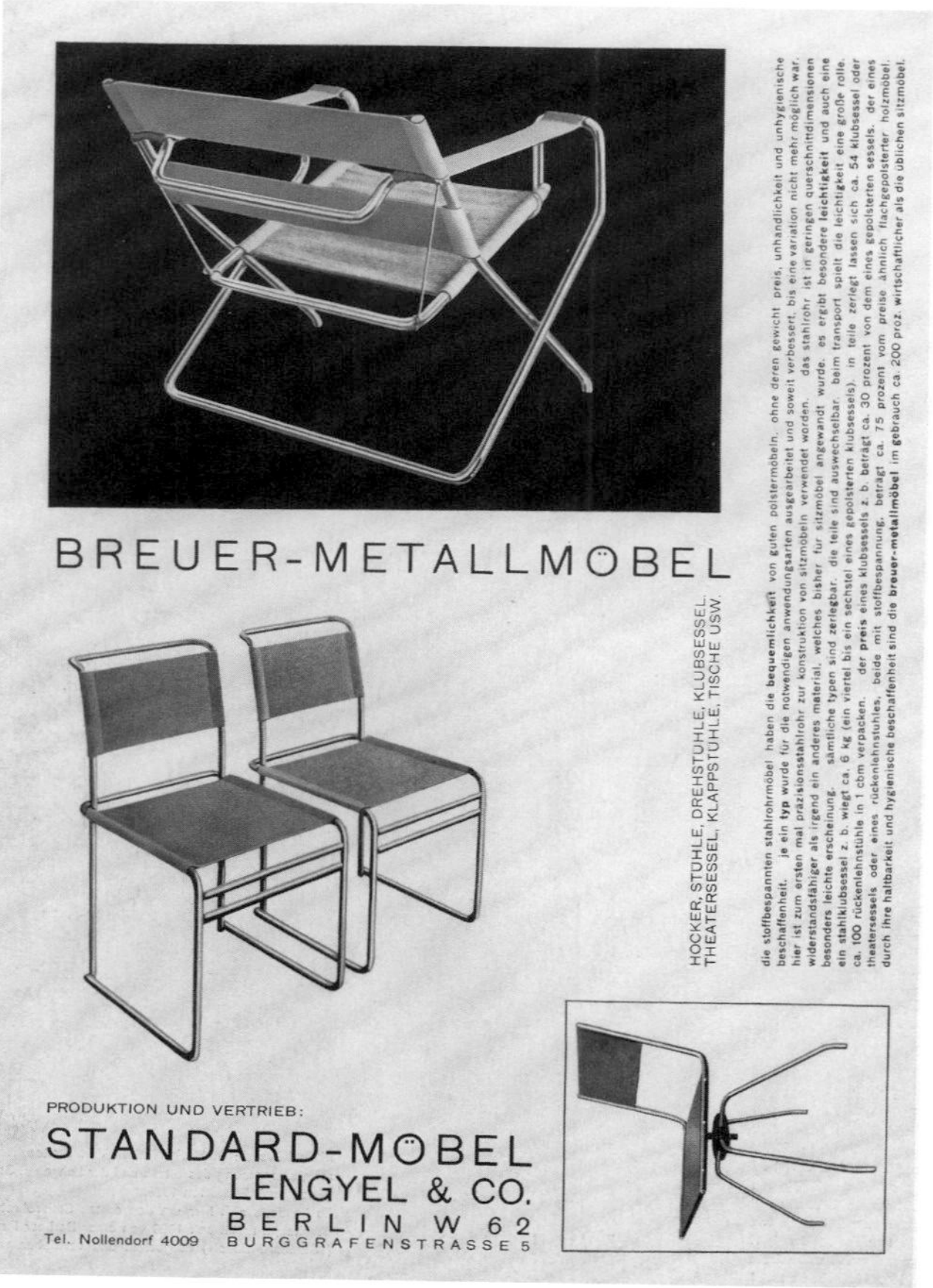

ブロイヤーの金属製家具 ベルリンのスタンダード家具会社の広告
機関誌『バウハウス』第2巻第1号所収

ワシリーチェアの生みの親 建築家としても活躍した

ハンガリー出身のマルセル・ブロイヤーは、１９２０年にバウハウスに入学し、家具工房で修業した。１９２４年に職人試験に合格し、パリに建築の勉強に行く。１９２５年、グロピウスの招聘でデッサウに移転したバウハウスにユングマイスターとして戻ってきた。彼は同年、最初のスチールパイプ椅子「クラブアームチェアB3」を私的な研究として制作する。のちにワシリーチェアと呼ばれる椅子である。グロピウスはこの椅子を高く評価し、自身が設計したバウハウス・デッサウ校舎とともに繰り返し紹介した。

鋼管《こうかん》家具の誕生により、それまで木を専門に扱う指物工房だった家具工房は、素材の選択を大きく広げた。鋼管に革や籐、木を組み合わせたり、天板にガラスを使用したり、フレームに木と金属を組み合わせるなど、柔軟な思考でさまざまな試みが行なわれたのだ。ブロイヤーはとりわけ

© Ezra Stoller / Esto for the image

マルセル・ブロイヤー《サイドチェア タイプ301》
1932/34年　製造：ヴォーンベダーフ社、製造年不詳
アルミニウム、合板　73×38×46cm
ミサワ バウハウス コレクション蔵

ブロイヤーはバウハウスを辞したのちスイスでアルミニウム製の椅子のデザインに取り組んだ。軽く、錆びにくいが、柔らかく溶接しにくいアルミの性質を上手く使ったこのデザインは、アルミ製家具のコンペティションで賞を勝ち取った。

マルセル・ブロイヤー《スターキー邸》 1955年
ミネソタ州ダルースに建てられた住宅。スペリオル湖を見下ろす丘の斜面にある建物は、ほとんど浮かんでいるように見える。

マルセル・ブロイヤー、ピエールルイジ・ネルヴィ、ベルナール・ゼルフュス《ユネスコ本部ビル（パリ）》 1958年

3人の建築家が協働で設計し、グロピウスやコルビュジエをはじめ、多くの建築家が協力し、完成した。

積極的に鋼管家具のヴァリエーションをデザインした。

　さらに、ブロイヤーは、1928年にバウハウスを辞したのち、スイスでアルミニウムを、イギリスでは積層合板を使った家具を手掛ける。今日のイメージではスチールの印象が強いが、ブロイヤーは、新しい素材を積極的に使ってデザインを展開させていったのだ。

　ブロイヤーは日本では家具デザイナーとみなされているが、アメリカでは建築家として有名である。もともと彼はバウハウスの学生の頃から建築を学びたかった。学内で建築労働共同体という研究グループをつくり、彼が設計した集合住宅案は、グロピウスが編集したバウハウス叢書第1巻『国際建築』（1925年）にも取り上げられた。1932年には、最初の建築作品としてハーニッシュマッヘル邸を施工する。1937年、アメリカに渡り、グロピウスの招聘でハーバード大学建築学部の教授を務めた。また、1938年から41年には、グロピウスと共同で建築事務所を開き、46年に独立した。

　とりわけ彼は住宅設計でアメリカの建築家に大きな影響を与えた。そのほかに、ニューヨークの旧ホイットニー美術館、パリのユネスコ本部ビル（ネルヴィとゼルフュスとの協働）など多くの建築を手掛けた。

関連ページ　P64［特集］鋼管家具の展開、P②クラブアームチェア B3（ワシリー）

鋼管家具の展開

ein bauhaus-film

fünf jahre lang

autor:
das leben, das seine rechte fordert
operateur:
marcel breuer, der diese rechte anerkennt

es geht mit jedem jahr besser und besser.
am ende sitzt man auf einer elastischen luftsäule

「バウハウスフィルム 5年の歳月」機関誌『バウハウス』第1巻第1号所収

[redacted]

マルセル・ブロイヤー《サイドチェア B32》 1928年　スチールパイプ、木、籐細工
55.2×82×44.5cm　ミサワ バウハウス コレクション蔵

軽さを実現させたスチールパイプという新しい素材

1925年、それまでバウハウスの学生として家具工房で学び、この年グロピウスに呼び寄せられてデッサウの新生バウハウス家具工房のユングマイスターとして迎えられたマルセル・ブロイヤーは、椅子のデザイン史に残る作品を私的に研究し世に出した。のちに「ワシリーチェア」と呼ばれることになる、スチールパイプによるクラブアームチェアB3である。ここに初めて金属パイプをフレームに使った室内用の椅子の可能性が開けた。自転車のフレームにヒントを得て採用したパイプという素材が、ブロイヤーが理想とする強さと軽さを実現できたからだ。

翌1926年、機関誌『バウハウス』第1巻第1号に「バウハウスフィルム」と題する、ブロイヤーによるコラージュ作品が掲載された（右頁）。フィルム風に仕立てられた画面には椅子の写真がデザインされた年代順に並んでおり、右側にはそれぞれ年号が書き足されている。左上には、「バウハウスフィルム　5年の歳月」というタイトルが記された。ブロイヤーは、このコラージュで椅子の進化を語ろうとしている。上の5点は自らの作品によるこれまでの椅子の変遷、そして一番下の奇妙な図版――何もない空間にゆったりと腰かける女性――は、「19?・?年」に実現するであろうブロイヤーの理想を表している。この女性を指してブロイヤーは言う。

「（椅子は）毎年、よくなっていく。しまいに人は弾力のある空気の柱の上に腰かけるようになるだろう」。空気の椅子は彼の、あるいはバウハウスの理想だった。

家具工房におけるブロイヤーの時代はワシリーチェアとともに始まり、鋼管椅子の形の追求が盛んに行なわれる中で、しだいにこの新たな素材ならではのデザインが生まれるようになった。そのひとつの完成形が、1928年の「B32」と呼ばれた*カンティレバー構造の椅子である。構造的にもシンプルを極めたこの椅子は世界でもっともポピュラーな椅子のひとつになるのだが、ここで注目すべきは椅子の脚であろう。あるべき後ろ脚を欠いたこのデザインは、あの19?・?年の「空気椅子」を彷彿させる。脚を2本取り去って、空気の柱で支えているようだ。宙に浮く感覚。脚の数を減らすことで、彼は自らの夢に一歩近づこうとした。

*カンティレバー構造＝片持ち梁構造。もともとは建築用語で、一端を固定し、自由な側の張り出しを支える。

関連ページ　P62 マルセル・ブロイヤー、P② クラブアームチェア B3（ワシリー）

ヒネルク・シェーパー
hinnerk scheper

1897年 オスナブリュック（ドイツ）生まれ／1957年 ベルリン（ドイツ）で死去

在籍期間 **1919-1933年**

壁面に描かれるものが、自由にそれ自身を誇示するために建築を利用するようなことは、決してあってはならない。

ロシアの雑誌『塗装事業』1930年1-2号に掲載されたH.&L.シェーパーの「建築と色彩」より
Renate Scheper "Hinnerk Scheper: Arbeiten zwischen 1933 und 1945" *Bauhaus-Moderne im Nationalsozialismus*, Winfried Nerdinger (ed.), Prestel, Munich, 1999

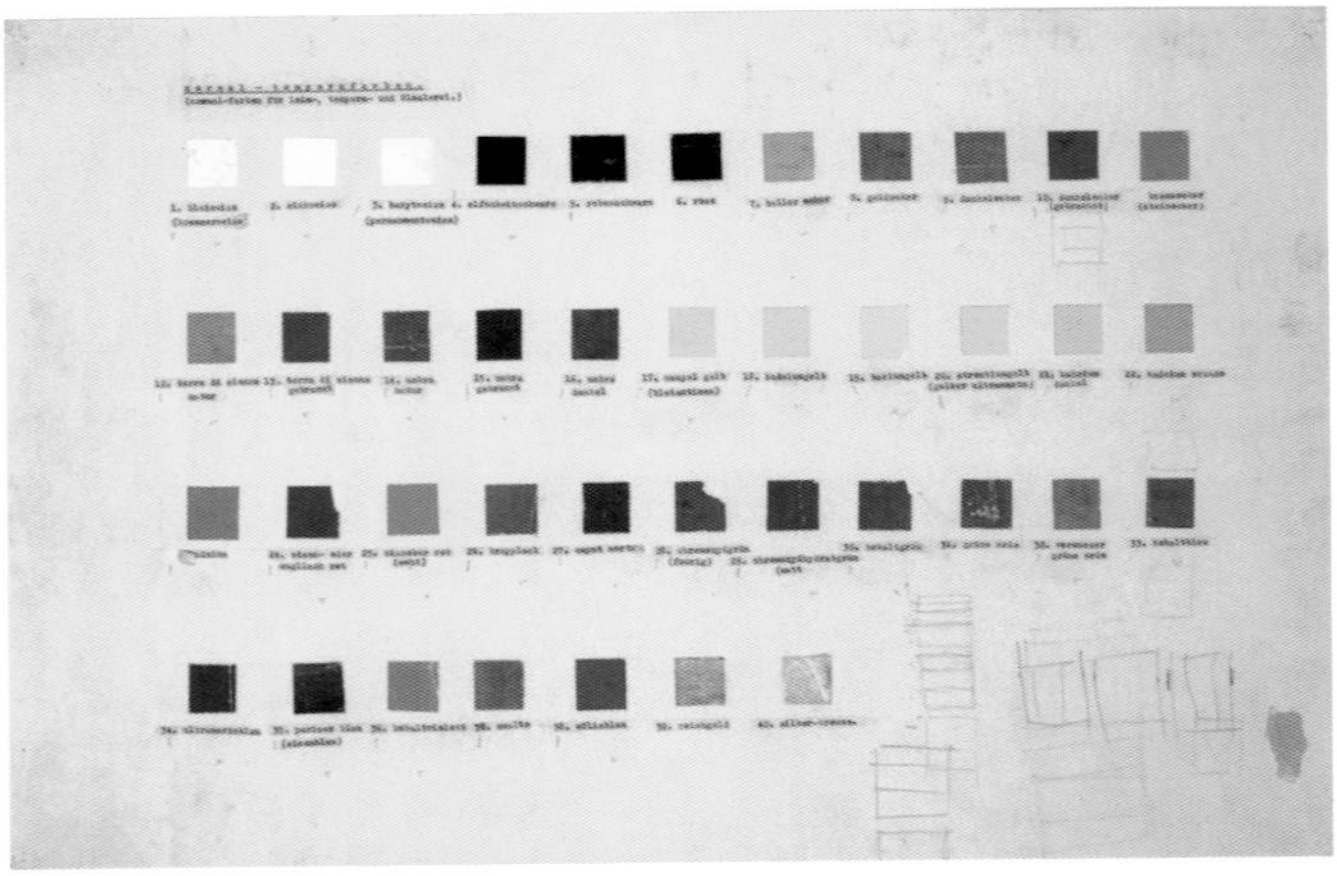

ヒネルク・シェーパー（?）《テンペラによる色見本（壁画工房）》
1925-33年頃　テンペラ、コラージュ　41.3×62cm　ミサワ バウハウス コレクション蔵

建築における色彩の重要性を説く

シェーパーは、デュッセルドルフやブレーメンで絵画を学んだのち、1919年にバウハウスに入学した。壁画工房に在籍し1922年に職人資格を得てバウハウスを離れ、フリーの塗装職人、色彩技術者としてヴァイマールの城館内博物館をはじめとするさまざまな建築のカラーコーディネートを手掛けた。1925年にバウハウスのユングマイスターとして招聘され、壁画工房の責任者に就任した。

　壁画工房といっても、壁画を制作するのではなかった。壁をフラットな色面として研究したのだ。シェーパーは、建築を補完するために色彩を使うことの重要性を認識し、色彩の心理的な作用に注目した。例えばバウハウス校舎では、階層によってテーマカラーを変え、位置確認の手段として色彩を用いた。壁画工房の学生たちは、色彩、形態、素材の原則や、それらの美的な相互関係について研究するとともに徹底した実習によって技術を習得した。下地のつくり方、化学的な性質や材質についての研究、製図から、積算や足場組みについてまで、実践的に学習が行なわれた。バウハウス・デッサウ校舎やマイスターハウスなど、実践対象には事欠かなかった。またバウハウスで制作された玩具の彩色などもこの工房が担当した。

　1929年から31年まで、シェーパーはバウハウスを休職し、建築色彩計画の専門家として招かれたモスクワで「マリャルストロイ」と名づけた相談所兼事務所を開設、ソビエトの建築家モイセイ・ギンズブルグらと協働している。31年冬学期からバウハウスに復帰し、ラッシュ社バウハウス壁紙の開発に取り組んだ。バウハウス閉鎖後は主としてベルリンで、カラーコーディネートや修復作業を行ない、終戦後は戦災にあった歴史的建造物や芸術作品の保存・修復にあたった。

→関連ページ　P⑨ラッシュ社「バウハウス壁紙」カタログ表紙

グンタ・シュテルツル
gunta stölzl

1897年 ミュンヘン（ドイツ）生まれ／1983年 キュスナハト（スイス）で死去

在籍期間 1919-1931年

私たちは単純化を試みた。やり方を原則に従わせ、素材をより適正に用い、用途をよりはっきりとさせた。それ故に私たちは、部屋や、住居の課題に明らかに応えられるメーター売りの布にたどり着いたのだ。この新しい時代のスローガン：「工業のための原型！」

Gunta Stölzl, "die entwicklung der bauhausweberei", *Bauhaus, Zeitschrift für Bau und Gestaltung*, 4Jhg., Nr.2, 1931

グンタ・シュテルツル《テキスタイルのサンプル》
1927年頃　平織変化組織、起毛（木綿、毛）　15.5×16cm
ミサワ バウハウス コレクション蔵

偶然の発見から生まれたバウハウスの織物工房

グンタ・シュテルツルはミュンヘンで絵画、陶芸、美術史を学び、第一次世界大戦では、赤十字の看護師に志願しイタリアの前線で兵士の救護にあたった。１９１９年にバウハウスに入学。ステンドグラス工房と壁画工房を短期間経験したのち、ほかの女子学生とともに女子クラスの設置を学校にかけあい、認められた。これは手芸のためのクラスであり、織物はまだ行なわれていない。やがて校舎の中の使われていない部屋に織機を発見したシュテルツルが、それを借りて小さなゴブラン織の作品をつくった。この小さな一歩が織物工房の誕生につながったのだ。女子クラスは男子も所属できる織物工房となった。

　織物技術の習得は、織物ができる教師がいなかったため、独学で行なわれ、皆が知識を教え合うことで発展した。皆が技術的に素人であると

グンタ・シュテルツル《テキスタイルのデザイン》
1929年頃　グァッシュ　48.3×38.1cm
ミサワ バウハウス コレクション蔵

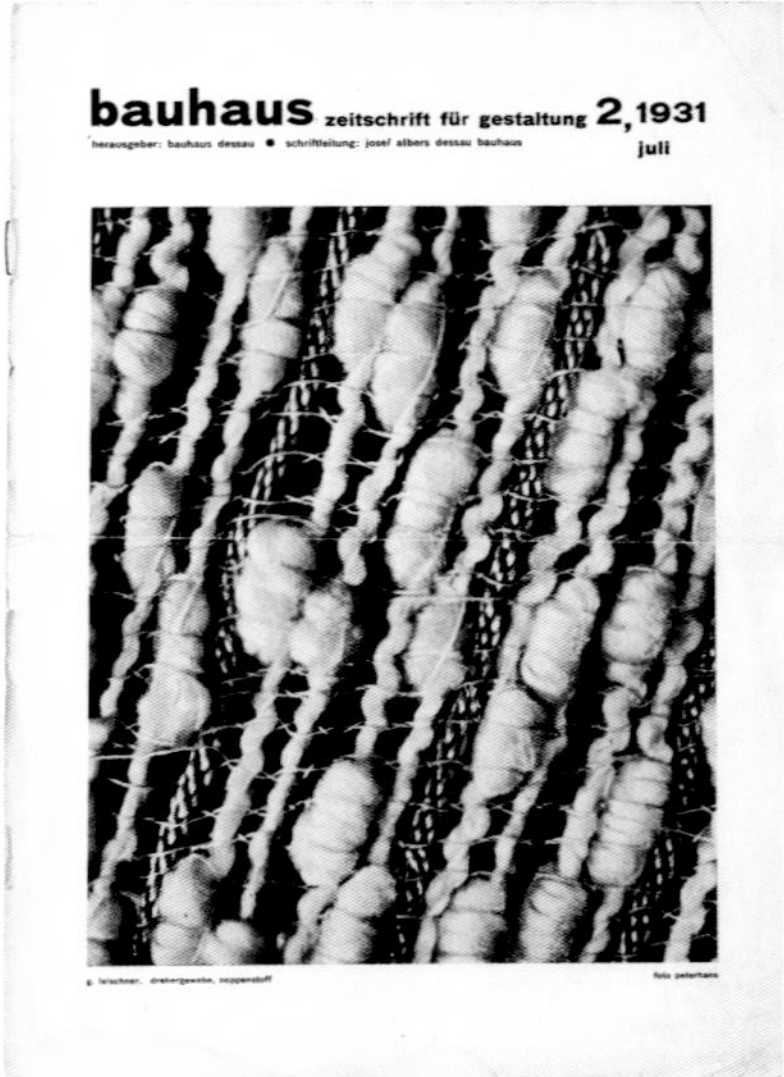

編集：ヨゼフ・アルバース
機関誌『バウハウス』第4巻第2号
（特集：織物工房）
1931年　凸版印刷　29.6×21cm
ミサワ バウハウス コレクション蔵

いうことは、それまでの慣習にとらわれないということでもあり、彼女たちは、歓びをもって実験を重ねながら新しいやり方を模索した。

工房の中心的存在であったシュテルツルは、1925年から正式に技術指導を任され、形態マイスターのムッへが去った1926年には、工房の仲間たちの後押しによって、ユングマイスターとなる。初期にはタペストリーなど非常に凝った手織の作品が主だったが、しだいに機械織のためのデザインに取り組むようになり、部屋に調和するシンプルなデザインを志向した。同時に実験室としての性格が強くなり、材料の特性がテストされ、開発されたばかりの化学繊維やセロファンまでが試された。織物工房ではかなり早くから大量生産用の織見本をポリテックス社やデルデン社といった大きな紡績会社へ出し、その収益はバウハウスにとって大事な財源となっていた。機械織のデザインといっても、織物教育の基礎カリキュラムの中では、手織技術の習得が重視されていた。シュテルツルは教育カリキュラムを大きく2つに分け、第1段階の教育工房では、手織による織物技法の徹底習得がなされ、その後、実験と実践のための活動がなされた。織物工房では、デザイン、染色、織りから製品化までを学ぶことができた。

1931年、シュテルツルがバウハウスを去った時、機関誌『バウハウス』はシュテルツルと織物工房の特集を組み、織物工房の発展における彼女の功績をたたえている。その後、彼女は手織工房を設立して制作を続け、織物技術とデザインの発展に寄与した。

→関連ページ　P72 実験精神、P8 ポリテックス社「バウハウス・テキスタイル」パンフレット表紙

column

バウハウスの女子学生
アルマ・ブッシャー

1922年から27年までバウハウスに在学したアルマ・ブッシャーは、家具や玩具の分野で活躍した女子学生。子どもの創造力を刺激する子ども部屋や積み木など、子どものための斬新なデザインを生み出した。

家具工房のもうひとつのアプローチ

アルマ・ブッシャーはバウハウスで子どものための家具と玩具の開発に取り組んだ学生だった。1923年にバウハウス展で公開した実験住宅の子ども部屋は、家具や照明器具まで含めてすべて彼女がデザインしたものだ。部屋の壁の下半分は字や絵を描けるように鮮やかな色の黒板になっており、玩具戸棚の扉の開口部は人形劇の舞台に、3種類のサイズの箱は時には机と椅子になり、おもちゃ箱にも、踏み台にも、大きな積み木として秘密基地をつくることも、電車ごっこの車にもなる。階段のような「はしご椅子」は、子どもが大人と同じテーブルにつくことができるように高い座面と足のせ台が用意され、椅子を倒すと車になるデザインだった。

子どもがものをどう使い、どう発想して遊ぶかを充分に観察した結果生まれた、子どもの創造力を喚起するこのようなアプローチは、当時の家具工房の中でも独特だ。マルセル・ブロイヤーらほかの学生が家具そのものの持つ機能と形態に関心を寄せていたのに対し、アルマ・ブッシャーは、子どもの健全な発達の理論を軸に家具や玩具のデザインを展開させていた。当時、社会では、単なる大人の家具の縮小版ではない子ども専用の家具の必要性がようやく気づかれてきており、彼女の家具は注目され、高い評価を受けた。その時、彼女は明らかにこのジャンルのトップを走っていたのだ。

もともと彼女は家具に限定せず子どものためのデザインに取り組みたいと考えており、子ども用家具のほか、玩具にも取り組んだ。彼女がデザインした積み木は、子どもの色彩感覚の発達を促すよう、美しい色で塗られ、大小2つのサイズで販売されていた。彼女は積み木遊びを、子どもが最初に体験する色彩コーディネートの機会だと捉えていたのだ。そのためにとりわけ白のピースを入れることを重視していた。

この時アルマはまだ独身で子どももなく、彼女のデザインは知人の子どもや育児の観察の結果生まれてきたものだった。その後、結婚、出産にともなって彼女はしばらくデザイン活動を控えて夫のサポートに回り、復帰することなく第二次世界大戦中にフランクフルトでの空襲で犠牲になった。彼女の名前は今はほとんど知られていない。唯一積み木だけが、彼女の名とは無関係に「バウハウス積み木」として今も販売され、世界中で愛されている。

実験住宅の子ども部屋。
バウハウス叢書第3巻 アドルフ・マイヤー編『バウハウスの実験住宅』所収

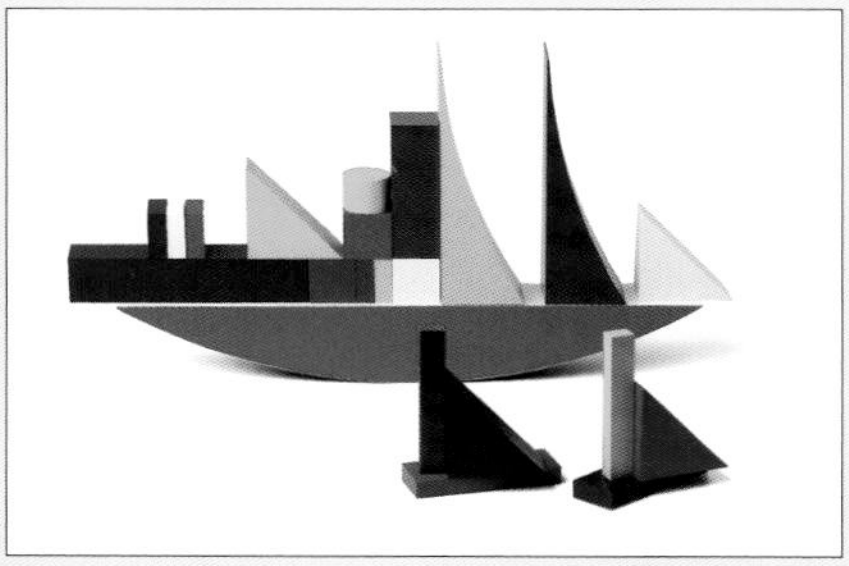

ネフ社によって復刻されたバウハウス積み木「バウスピール」。
©Naef Spiele AG

新しい美意識

装飾を排除した新たな美の発見者たち

　私たちは、バウハウスのデザインが原型となり、その影響を受けた世界に生きている。そのため、バウハウスの作品群を決して新奇に感じない。どこが特別なのかとさえ思う。バウハウスが行なったことを正しく知るには、まず、彼らが変える前の世界のことを知らねばならない。

　1900年頃の雑誌『ドイツの芸術と装飾』には、さまざまなジャンルの最新の工芸品、建築、芸術が紹介されている。そこに掲載されているものは、バウハウスのデザインとは全く異なることに気づくだろう。例えば1904年に掲載されたシャンデリア。細かな装飾に彩られたこれらのデザインは、当時の憧れの品物だった。その隣にバウハウスランプとして有名な、ヴィルヘルム・ヴァーゲンフェルトらがデザインしたテーブルスタンド、あるいはマリアンネ・ブラントが1926年にバウハウス金属工房で開発したペンダントライトを並べると、バウハウスが行なった改革がわかる。それらは、革命といってよいほどそれまでのデザインとは異なっていた。装飾がない。それだけではなく、バウハウスでは、当時は工業用の素材としてむき出しで使うことが憚《はばか》られていた鉄や板ガラスなどを隠すことなく使ったのだ。バウハウス金属工房では、金銀細工にこだわっていた人たちに、洋銀や真鍮、あるいはガラスなどさまざまな素材を取り入れさせ、素材の特徴をデザインに活かすよう

雑誌『ドイツの芸術と装飾』1904年に掲載されたモーリス・デュフレーヌによるテーブルスタンド。

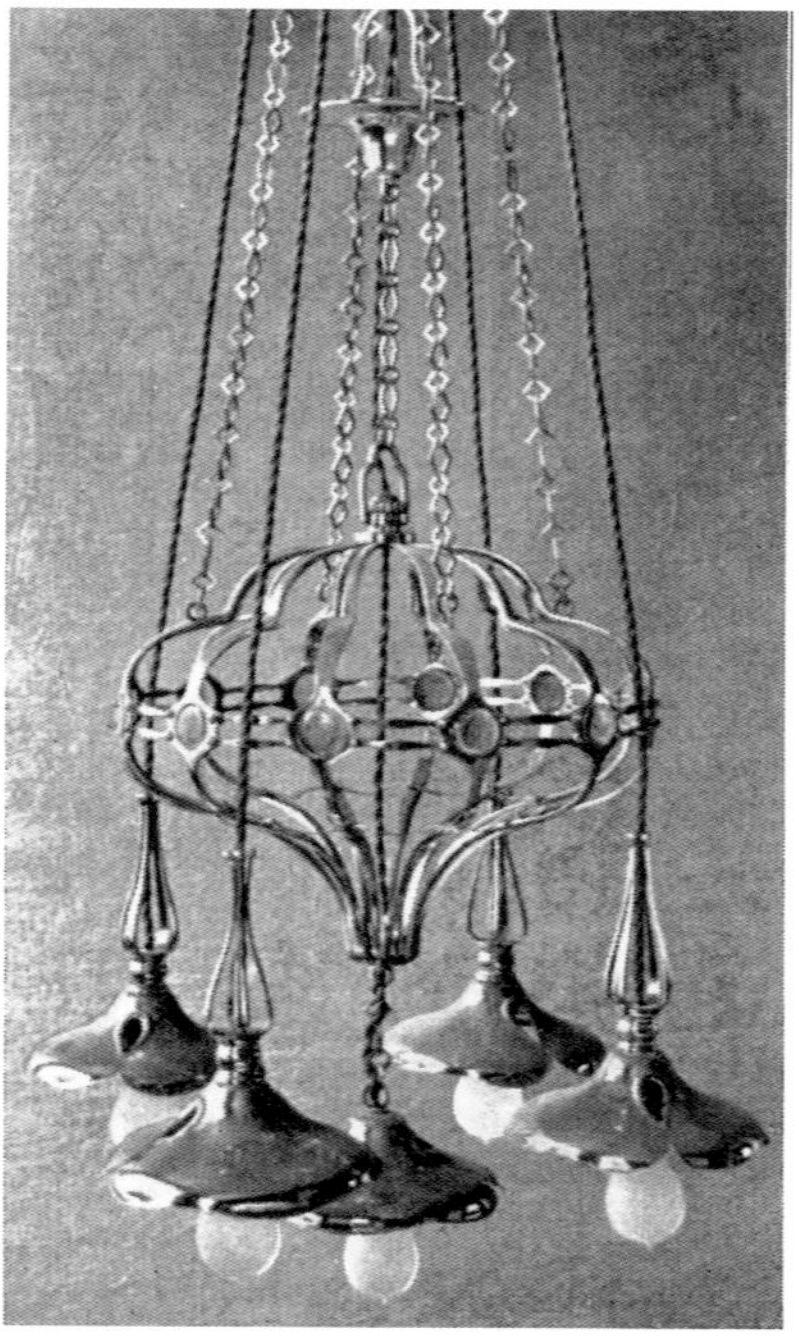

雑誌『ドイツの芸術と装飾』1904年に掲載されたパトリッツ・フーバーによるシャンデリア。

促した。その結果生まれた、装飾で隠さない形態は、当時の社会にはセンセーショナルだったのだ。

当時の憧れの品物は高価で、労働者には決して手の届かないものだった。一方、バウハウス及び当時のモダニストたちが取り組んだのは、民衆の、労働者階級の、皆のためのデザインだった。それまで王侯貴族のために制作してきた芸術家が、一般市民のために動いたのが近代という時代だった。工場で働く労働者にも手に届く価格で、機能的で、そして美しいものを、工業デザインをよくするという方法で実現しようとしたのだ。バウハウスが目立っているが、決してバウハウスが単独で成し遂げたものではない。当時のさまざまな芸術運動と連動し、影響を受け合い成長してきた。

そしてつくり上げたのは、個々のデザインだけではなかった。彼らが示してみせたのは、「新しい美意識」だった。というのも、それまでは、「装飾」が美しかったのだ。美しいものは、そこに付属している装飾があるがために美しいと思われていた。バウハウスが示したのは、装飾がなくても、その素材と形態、構成そのものに美が宿るということだった。

その新しい美意識をいち早く理解しバウハウスを支持したのは、皮肉なことに知識人たちだった。残念ながら、労働者階級のためにと生み出したデザインは、彼らに理解されるまでに時間を要したのだ。しかし、バウハウスの提案は、少しずつ浸透し、今、私たちは、装飾のないデザインの美しさを理解することができる。

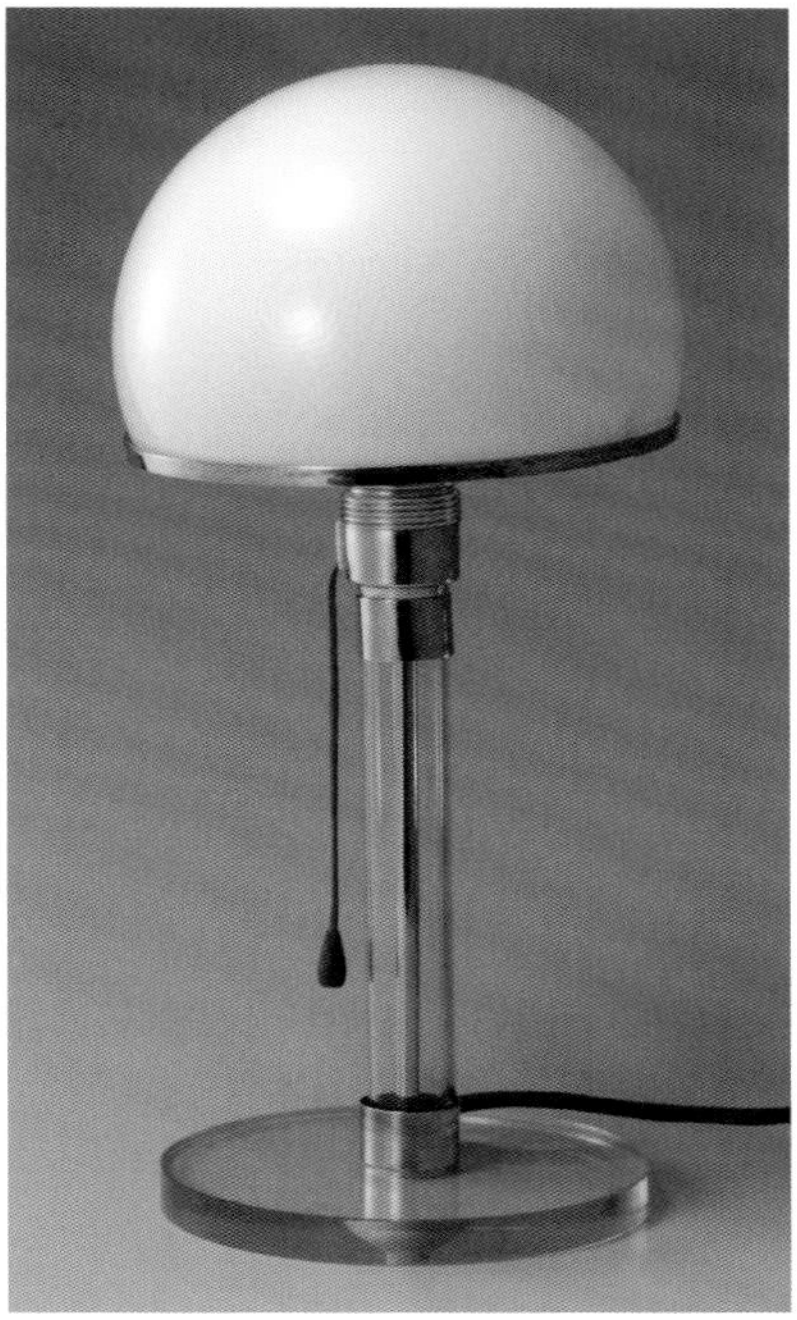

ヴィルヘルム・ヴァーゲンフェルト《テーブルスタンドライト》
1923/24年　ニッケル鍍金の真鍮とスティール、ガラス
39×17.8×17.8cm　宇都宮美術館蔵

©Jost Schilgen

マリアンネ・ブラント《2種のガラス球のペンダントライト ME94》
1926年　製造：シュヴィンツァー&グレフ社
オパールガラス、マットガラス、アルミニウム　長さ73cm
バウハウス・アルヒーフ蔵　Bauhaus-Archiv Berlin

実験精神

失敗からも学ぶ バウハウスの実験

バウハウスは新しいデザインをめざした造形学校であり、教師も新しい教育方法の模索を求められた。伝統や慣習、既成概念を一度捨てて、ゼロから試行錯誤を始めなければならなかった。したがって、バウハウスではさまざまな実験が行なわれていた。失敗を恐れず、また、失敗から多くを学ぶことで、また一歩、目標に近づいたのである。

ここでは、バウハウスで行なわれた幾つかの実験を紹介する。

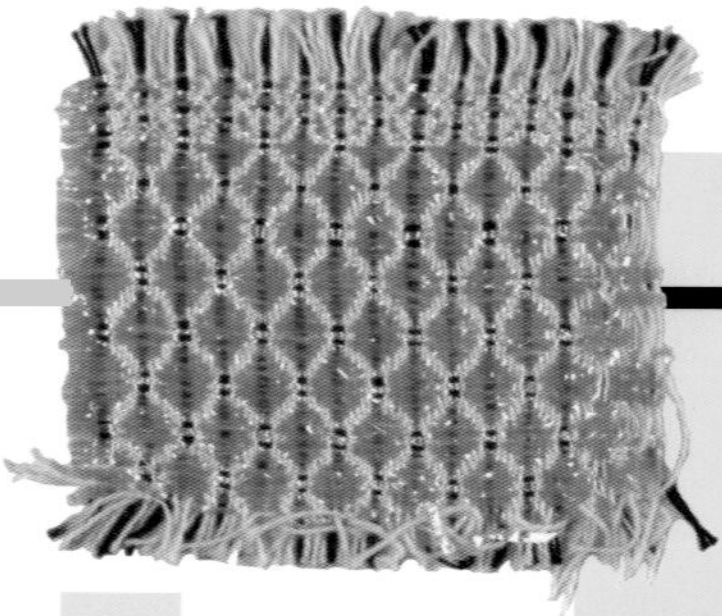

グンタ・シュテルツル
《テキスタイルのサンプル》
1929年頃　二重織(麻、ウール)／蜂巣織(木綿、セロファン)
8.5×9cm
ミサワ バウハウス コレクション蔵

1 織物工房

織物技術を知る教師がいなかったことから、慣習とは無縁だった織物工房は、自由に実験ができる環境だった。学生たちは、通常の織り糸以外でも、細長くなるものだったら、なんでも織ってみたという。例えば細く切ったセロファンや紙までが試された。また、当時開発されたばかりの化学繊維にも何の拒絶反応もみせずに積極的に織ってみた。それらは強度を試されて、適切な用途があれば採用された。このような地道な実験を重ねたことで、多くの成果が生まれた。例えば、鋼管椅子の背と座面の張り地に向く丈夫な布地の研究は「アイゼンガルン」と名づけた布地を誕生させた。機能を持った布の開発も行なわれ、片面で音を吸収し、反対の面では光を反射する布地が生まれた。これはハンネス・マイヤー設計のADGB連合学校(13頁)の講堂のためにつくられた。

2 金属工房

ヴァイマール・バウハウスの金属工房では、1923年のバウハウス展に際して建てられた実験住宅に設置するために、照明器具のデザインが始まった。書斎の壁面に付けられたカール・J・ユッカーの照明器具は、壁付きの本体から光源を手前に引き出し、位置の調整ができるように鉄のアームが付いていたが、目的を果たすためには無骨で大きく、重いものになってしまった。その大仰な姿から「恐竜」という名で呼ばれたが、これも単なる失敗ではなく、次の解決策を引き出すための大事な一歩だった。

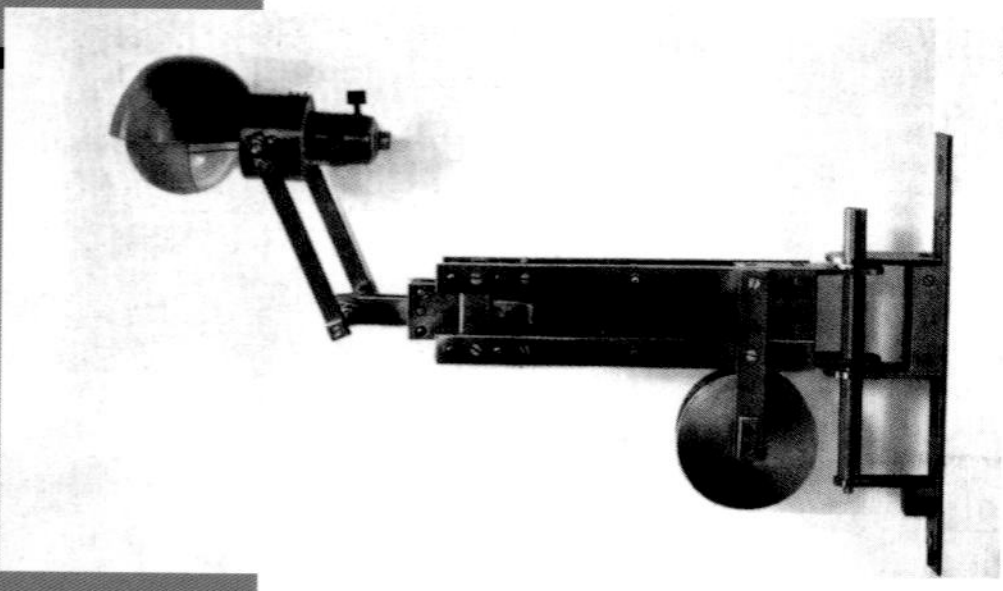

カール・J・ユッカー
《伸張式壁付き電灯》1923年
展覧会カタログ『ヴァイマール国立バウハウス 1919-1923』所収

versuchergeist

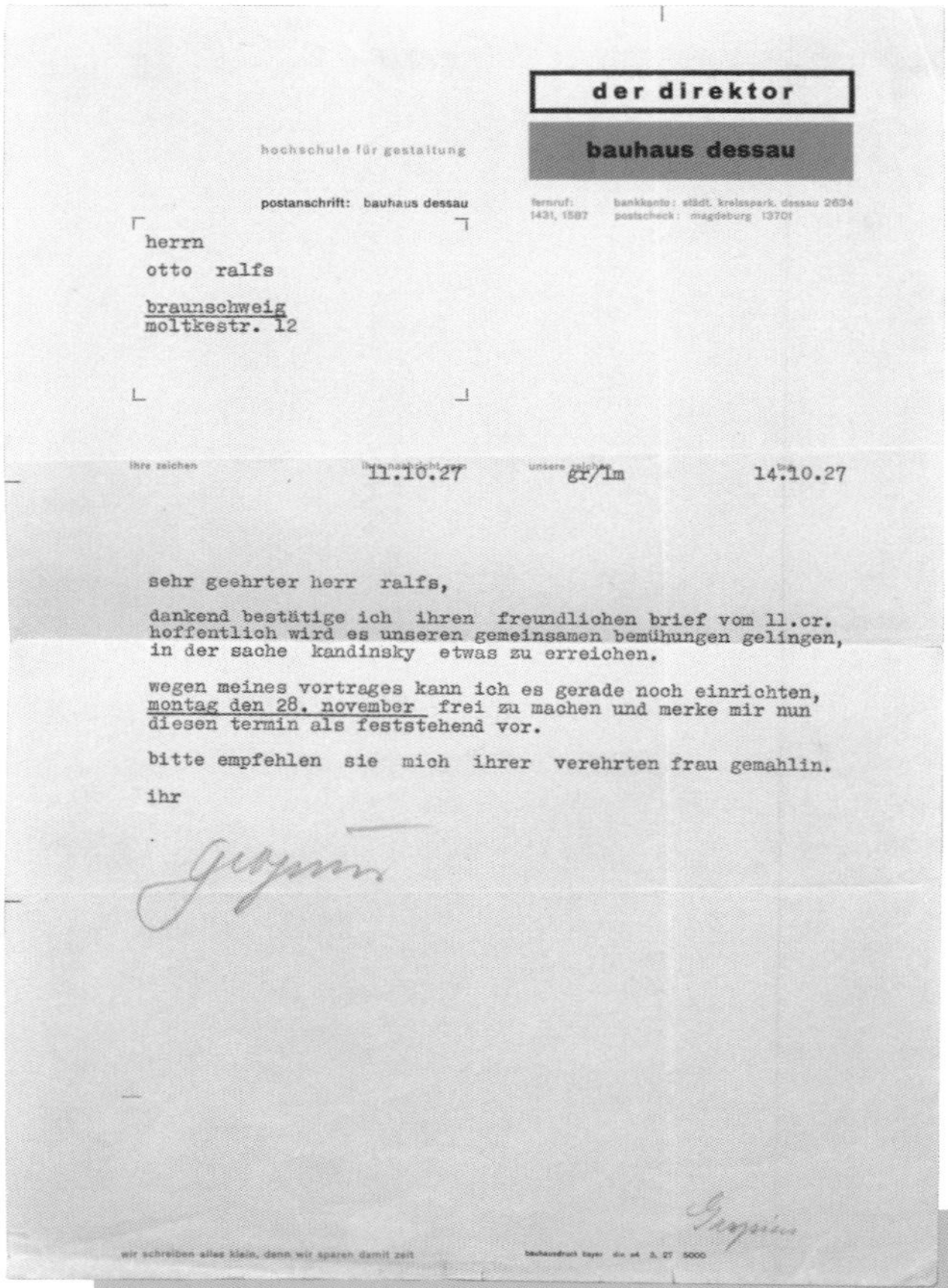
der direktor

bauhaus dessau

hochschule für gestaltung

postanschrift: bauhaus dessau

fernruf: 1431, 1587

bankkonto: städt. kreissparkasse dessau 2634
postscheck: magdeburg 13701

herrn
otto ralfs

braunschweig
moltkestr. 12

ihre zeichen 11.10.27 unsere zeichen gr/lm 14.10.27

sehr geehrter herr ralfs,

dankend bestätige ich ihren freundlichen brief vom 11.cr. hoffentlich wird es unseren gemeinsamen bemühungen gelingen, in der sache kandinsky etwas zu erreichen.

wegen meines vortrages kann ich es gerade noch einrichten, montag den 28. november frei zu machen und merke mir nun diesen termin als feststehend vor.

bitte empfehlen sie mich ihrer verehrten frau gemahlin.

ihr

wir schreiben alles klein, denn wir sparen damit zeit

ヘルベルト・バイヤー
《デッサウ・バウハウス、学長用レターヘッド》
1927年
レターヘッド紙にタイプ
ミサワ バウハウス コレクション蔵

3 印刷広告工房

印刷広告工房の主任バイヤーが行なった壮大な実験は、大文字を廃し小文字だけで文字を組んだことである。バイヤーは、大文字と小文字は起源が異なるものであり、デザイン的に異なっているのでどちらかに統一すべきである、なにより経済的だという意見を持っていた。これは、活版印刷の時代に、大文字と小文字を使うと、活字を倍用意する必要があったから。そのため、この時期のバウハウスの印刷物は、叢書や機関誌の文章でさえ、小文字のみで組んである。当時のバウハウスでは徹底して印刷物を小文字で統一していた。小文字のみだと可読性が劣るため、結局この運動は短命に終わったが、バウハウスの徹底した実験精神をよく表している。

ヘルベルト・バイヤー
機関誌『バウハウス』第2巻第1号表紙
1928年　凸版印刷　29.7×21cm
ミサワ バウハウス コレクション蔵

関連ページ　P20 工房

bauhaus

nach dem bauhaus

その後のバウハウス

バウハウスの教師と学生がつないだ教育のバトン

ナチスの圧力の中、バウハウスが自ら閉校を決めたのは1933年7月だった。その後、教師と学生たちは世界に散って活動したが、中でも教育に携わる人が多かった。バウハウスの理念は閉鎖によってかえって世界中に広まったといわれている。ただし、バウハウスは14年間変わり続けた学校であり、先生によって異なる意見を持ち、誰もが独自のユニークな授業をした。学生も、いつバウハウスに在籍し誰に学んだかによって異なる体験をしている。誰もがさまざまな授業を受けてそれを咀嚼し、自分のバウハウスをつくった。従って、世界に広まったその内容は同じというわけではない。形式を真似する場合も、思想を受け継ぐ場合もあり、バウハウスの影響とひと言でいっても、そのレベルもさまざまである。とりわけ真摯な教育者たちは、バウハウスの何を継承し、何が今日的なのかという問題に直面し続けた。

バウハウスの人々の多くはアメリカに渡り、各地でバウハウスの教育を展開しようとした。シカゴでは、1937年にシカゴ芸術産業協会の出資で、ラースロー・モホイ=ナジがニューバウハウスを設立。バウハウスの名称と教育方法にこだわったモホイ=ナジは、その本質を理解できない協会との衝突及び資金難のためにわずか1年余りでこの学校を閉鎖せざるを得なかった。しかし、モホイ=ナジは仲間である教師たちと私費を投じて「スクール・オブ・デザイン」の名称で学校を再開した。1944年には「インスティテュート・オブ・デザイン」に改称。モホイ=ナジの情熱によって支えられていたこの学校は、46年11月にモホイ=ナジが白血病で51歳の生涯を終えたのち、49年にイリノイ工科大学に併合された。

イリノイ工科大学には、バウハウスの最後の学長であったミース・ファン・デル・ローエがいた。彼は1938年にシカゴのアーモア研究所の建築学部長となっており、40年にこの学校はイリノイ工科大学に併合されていた。ミースはバウハウスの教師だったルートヴィヒ・ヒルベルザイマーとヴァルター・ペーター

bauhaus

n

nach dem

ハンスらを招聘しており、バウハウス教育のアメリカでの萌芽のひとつは、たしかにシカゴに誕生したのだった。

一方、1933年にノースカロライナに設立された芸術のためのフリースクール、ブラック・マウンテン・カレッジには、ヨゼフ・アルバースが美術部門の責任者として妻のアニとともに参加していた。彼は49年までブラック・マウンテン・カレッジで、その後はイェール大学やウルム造形大学などでも教鞭をとっている。ハーバード大学でもしばしば教壇に立った。ハーバード大学建築学部には37年からヴァルター・グロピウスがおり、マルセル・ブロイヤーを教授として呼び寄せている。

ドイツでは第二次世界大戦後の1953年に、バウハウス出身のマックス・ビルを学長としてウルム造形大学が開校している。初期にはビルのほかグロピウスやバウハウス出身者が多く関わり、バウハウスの教育を引き継ぐ色が濃かったが、学内の議論の中で変容していった。57年にマックス・ビルが学校を去ったのち、学校はより専門分化し、科学的理論的なアプローチを志向した。68年、財政難と政治的理由で閉校、解散したが、ドイツのプロダクトデザイン、とりわけブラウン社のデザインポリシーの確立に多大な貢献をしたことが知られている。

日本ではバウハウスを本で学び、留学生水谷武彦の帰国を待っていた川喜田煉七郎によって1932年、バウハウス流のデザイン教育を実践する新建築工芸学院が生まれた。水谷のほか、山脇巌・道子夫妻も講師として参加し、亀倉雄策、のちに桑沢デザイン研究所を設立する桑沢洋子などのデザイナー、教育者を輩出。水谷や山脇夫妻らは東京美術学校、日本大学芸術学部、帝国美術学校、自由学園、昭和女子大学など多くの学校に関わった。

バウハウスのやり方や志を受け継いだといわれる学校には、バウハウスと同じように短命なものも多い。バウハウスを土台にして造形教育の刷新をはかったため、単独の小さな学校は、財政難と周囲の無理解に苦しむ場合が多かった。しかし、短命だとしても、存在した意味は大きい。そこで教えを受けた人たちが、まるでバトンを次につなぐように、変容しながらも次の教育の礎となっていったのだから。

nach dem

column

バウハウスの祭

バウハウスには、教師も学生も楽しんだ
ユニークな祭があった。
そして、祭の招待状やハガキ、扮装は、
そのまま彼らの自由な作品となった。

●ランタン祭@ヴァイマール

バウハウスで毎年行なわれた祭のひとつ。思い思いの形の手づくりのランタンに火を灯した人々が、列を組んで、夜のヴァイマールを練り歩いた。

リオネル・ファイニンガー
《ランタン祭のカード》
1922年　リトグラフ
8.9×14cm

パウル・クレー
《ランタン祭のカード》
1922年　リトグラフ　9.2×13.6cm
ニューヨーク近代美術館蔵

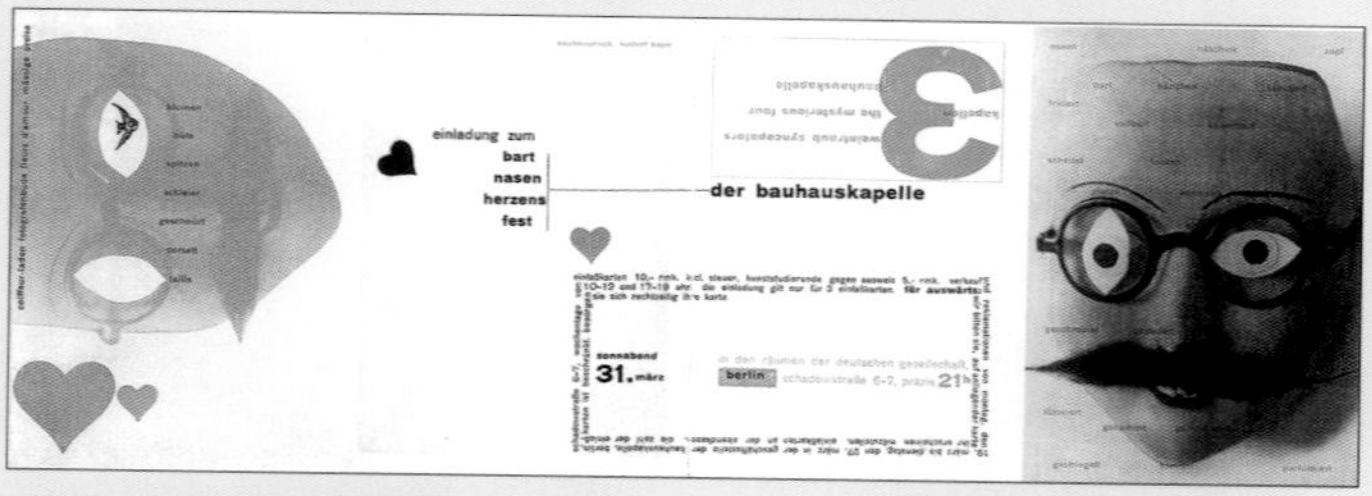

●髭と鼻の祭

1928年の謝肉祭。「カンディンスキーですら赤いスーダーマン髭をつけ、クレーは頬髭を、ハンネス・マイヤーは大きい鼻をつけた」と、シュレンマーは日記でこの企画の成功を伝えている。この祭は好評だったために3月末に「髭と鼻と心臓の祭」としてベルリンでも開催された。ここでもバイヤーがユーモラスな招待状をデザインしている。

ヘルベルト・バイヤー
《「鼻と髭と心臓の祭」の招待状》
1928年　凸版印刷
14.7×29.7cm
ニューヨーク近代美術館蔵

バウハウスの作品が美術館に恭しく展示されていること、またそのデザインの特徴から、バウハウスの人々のことを、選ばれたエリートで、クールなデザインを生み出すおもしろみに欠ける優等生だったと誤解してはならない。バウハウスは祭好きの集団として知られ、何かと理由をつけては集まり、ひと晩中騒ぎ、踊り明かした。誰かが何かを仕上げたら、それはもうパーティの口実となった。このような気軽な集いの中からしだいにテーマを持った祝祭が誕生した。バウハウス初期のヴァイマールでは、毎年恒例の春のランタン祭、秋の凧揚げ祭が名物となり、街の人々に祭を知らせるためのハガキが何種類もマイスターや学生によってつくられた。

デッサウでは、祭はより大がかりになり、学校をあげて取り組まれた。大きな祭には常にテーマが与えられ、会場となる校舎もそれにふさわしく整えられ、招待状もつくられた。風変わりな企画を次々に考え出す祭の中心は、舞台工房のマイスター、オスカー・シュレンマーだった。これらの祭では学長も先生も学生も全員参加で、皆が羽目を外して楽しんだ。

●凧揚げ祭@ヴァイマール

バウハウスで毎年行なわれた祭のひとつ。幾多の奇想天外な凧がヴァイマールの空高く上がり、街の人々を驚かせた。1922年の凧揚げ祭は新聞にも取り上げられ、それによると、水晶のようなもの、蛇、気球のようなもの、太陽、星、飛行船、貝殻、ランプ形の大小さまざまの凧、魔法の鳥、グリフィンといった凧が見られたという。

オスカー・シュレンマー《凧揚げ祭のカード》
1921年　リトグラフ　14.1×10cm

●白の祭

1926年の謝肉祭は「白の祭ー市松、水玉、縞模様」と名づけられ、参加者には扮装の条件が与えられた。全体の2/3の人は白、残りの1/3は色つきで、市松模様、水玉、縞模様が入っていなければならない。バイヤーが手掛けた招待状は、この条件の通りにデザインされ、石版で刷られて配られた。グロピウスの妻のイゼは日記の中で「これ以上美しい仮面の出た祭はかつてなかった」と述べ、中でもシュレンマーとヨースト・シュミットが素晴らしかったと記している。

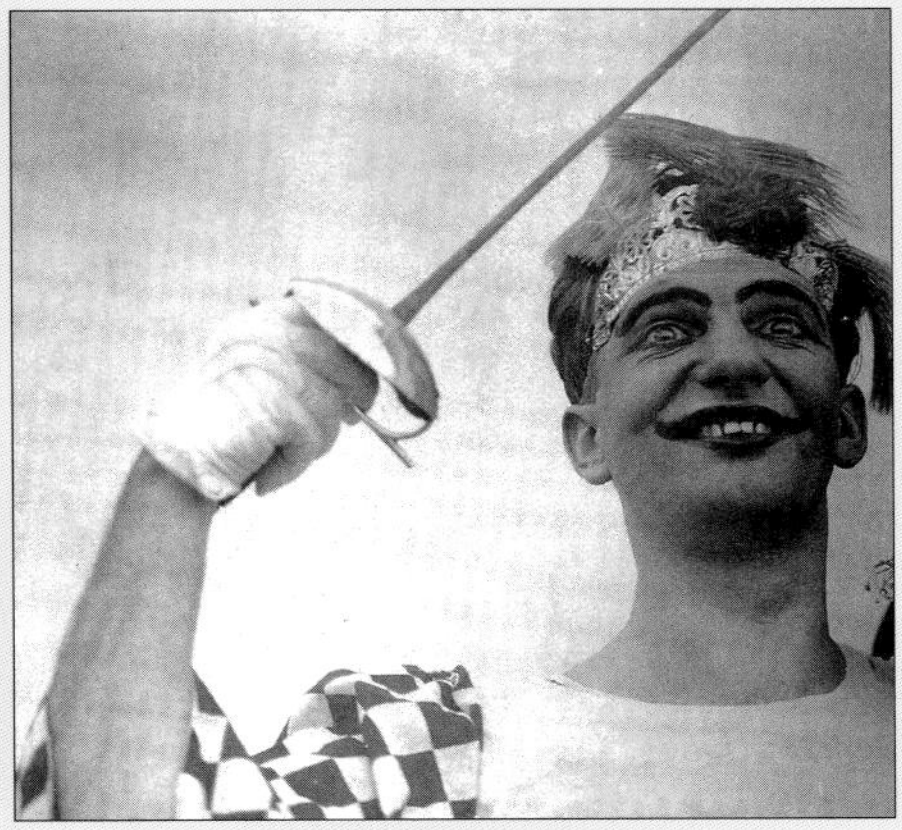

●金属の祭

1929年の謝肉祭。ヨハン・ニーゲマンのデザインによる招待状は銀色で、校舎は輝く箱となり、デッサウ市長やアンハルト州の大臣らも含む外部の客人を迎えた。一段ごとに異なる音を奏でる階段を上がり、金属製滑走路を滑り降りて会場に入ると、鈴が鳴り、銀色の装いのバウハウス楽団の演奏に迎えられた。会場の壁には銀色の仮面が何列にも並び、あらゆる形の金属がきらめき、人々もそれぞれが工夫を凝らして金属的な衣装を身につけていたという。

マリアンネ・ブラント
《無題（金属の祭のセルフ・ポートレイト）》
1929年　モダンプリント　12.1×8.8cm　バウハウス・アルヒーフ蔵
Bauhaus-Archiv Berlin

column

4人の日本人留学生

**20世紀の初め、はるか海を渡りバウハウスに留学した日本人がいた。
4人の日本人留学生は、バウハウスで何を学び、何を日本にもたらしたのだろうか?**

日本は、バウハウスの活動にリアルタイムで関心を寄せ、留学生を出した東アジア唯一の国である。既に1922年には美術評論家・美術家の仲田定之助と建築家石本喜久治がバウハウスを訪問しているし、翌23年11月にはバウハウス展を見学した齋藤佳三によって、読売新聞と東京朝日新聞でバウハウスが紹介されている。その後も建築家を中心にバウハウスを訪問する日本人はあとを絶たなかった。

日本からの初めての留学生は水谷武彦(1898-1969年)。東京美術学校(現東京藝術大学)の助教授であった。彼は文部省給費留学生としてドイツに渡り、1927年4月にバウハウスに入学。29年3月まで在籍し、家具工房及びハンネス・マイヤーの建築部門で学んだ。家具工房で制作された水谷の作品が、学校の機関誌『バウハウス』1928年2/3合併号に写真掲載され、バウハウス叢書第14巻『材料から建築へ』でも授業の習作が取り上げられるなど、彼の才能はバウハウスでも高い評価を得た。また、小柄な彼は機関誌に「バウハウスで一番大きい人と小さい人」という写真で紹介されてもいる。

次に山脇巌(1898-1987年)・道子(1910-2000年)が1930年10月から32年9月までバウハウスで学んだ。東京美術学校で建築を学んだ巌は、当時の学長ルートヴィヒ・ミース・ファン・デル・ローエに建築の指導を受けたほか、写真部門にも顔を出した。また、道子は織物工房でグンタ・シュテルツル、アニ・アルバースらの指導のもと、ゼロから織物に取り組んだ。

バウハウスの日本人留学生は、長い間3人と思われていた。4人目の大野玉枝(1903-87年)は、近年ようやく研究が始まったばかりであるが、名前はバウハウス・ベルリンの1933年の学生名簿にしっかりと掲載されている。彼女はパリで服飾を学んだのち、夫・俊一とともにベルリンに移っており、32年に山脇夫妻にバウハウスへの留学について相談している。その後バウハウスに入学し、織物を学んだという。

彼らは帰国後、バウハウス留学生として注目されたが、その後の活動はさまざまだった。

水谷は東京美術学校で教鞭をとりながら、バウハウスの教育、建築などの啓蒙を精力的に行なうが、共産主義者と知られていたハンネス・マイヤーに学んでいたことが徒《あだ》となり、全体主義に向かう戦前の日本では、活動を自粛しなければならなかった。また、大野は帰国後は雑誌で取り上げられ、展覧会に作品を出品していたが、やがて露出を控え、教育には関わらず、生涯自宅で制作を続けながらも表に出ることはなかった。

山脇夫妻は、その後もバウハウスの留学生として注目され続けた。巌は建築家として幾多の住宅や俳優座劇場、桐朋学園大学、日本大学芸術学部校舎などを設計するとともに、教育者として造形美術学園(現武蔵野美術大学)の創設に関わったほか、日本大学芸術学部の教授を長く務めた。また、彼の写真のクオリティの高さは世界に認知され、海外の美術館に作品が多数収められている。道子もモダンガールを象徴する女性として脚光を浴び、自由学園、日本大学芸術学部、昭和女子大学などで教鞭をとった。

著者
杣田佳穂〈そまだ・かほ〉 Kaho SOMADA

1995年よりミサワ バウハウス コレクション学芸員。ミサワホーム株式会社の所蔵する1500点を超える作品群を研究し、自社ギャラリーで1996年から30回を超える企画展を開催、バウハウスのさまざまな面に光をあててきた。主な展覧会企画に「バウハウスと女性」「バウハウス1933-1945」「バウハウスの教室」など。また、他館での企画、企画協力、巡回展を行なう。2019年にはバウハウス100周年の記念事業を手掛けた。

ミサワバウハウス コレクション

バウハウスの作品を専門に展示する日本唯一の小さな美術館。1989年にコレクションが開始され、現在までにバウハウスを中心とした作品1500点余りが集められた。工房での習作、量産されたデザイン、絵画、彫刻、写真のほか、基礎教育での課題作品を多数所有しているのが、このコレクションの特徴となっている。東京都杉並区にある展示施設でこれまでに30回を超える企画展が開催され、さまざまなテーマでバウハウスを多角的に紹介し続けている。

URL：http://www.bauhaus.ac
〒168-0071 東京都杉並区高井戸西1丁目1-19
TEL：03-3247-5645
見学は予約制。電話にてお問い合わせください。

アート・ビギナーズ・コレクション
もっと知りたい **バウハウス**

2020年4月10日 初版第1刷発行
2022年7月30日 初版第3刷発行

著　者　杣田佳穂
発行者　永澤順司
発行所　株式会社東京美術
〒170-0011
東京都豊島区池袋本町3-31-15
電話 03(5391)9031
FAX 03(3982)3295
https://www.tokyo-bijutsu.co.jp

編　集　橋本裕子

印刷・製本　大日本印刷株式会社

乱丁・落丁はお取り替えいたします。
定価はカバーに表示しています。

ISBN978-4-8087-1144-3 C0070

本文・カバーデザイン
長谷部貴志（長谷部デザイン室）

シリーズタイトルデザイン
幅 雅臣

写真提供・協力
ミサワ バウハウス コレクション
宇都宮美術館、アトリエ ニキティキ
アフロ、アマナ、DNPアートコミュニケーションズ、PPS通信社

アフロ：p5, p15（2点）
akg-images/アフロ：p4, p24, p30, p35, p63下
Bridgeman/PPS通信社：p10
HIROSHI HIGUCHI/アフロ：p11
Artur Images/アフロ：p13左上
Alamy/アフロ：p13右上，p33下
MOMAT/DNPartcom：p27, p50, p57下
DeA Picture Library/アフロ：p28
Harvard Art Museums/Busch-Reisinger Museum, Gift of Herbert Bayer：p43左
Artothek/アフロ：p44
東京都歴史文化財団イメージアーカイブ：p45
Bauhaus-Archiv Berlin：p22, p23, p48, p71, p77下
©2020. Digital image Whitney Museum of American Art / Licensed by Scala /amanaimages：p54
Harvard Art Museums/Busch-Reisinger Museum, Gift of artist：p57上
Esto：p63
ロイター／アフロ：p⑯
Imagebroker/アフロ：p⑭
Harvard Art Museums/Busch-Reisinger Museum, Museum Purchase：p⑦

©2022 山脇巌・道子資料室：p⑪

©VG BILD-KUNST, Bonn & JASPAR, Tokyo, 2021 E4080
Gerhard MARCKS : p26, p27
Herbert BAYER : p40, p47, p56, p57, p76
Gunta STÖLZL (Gunta STOELZL - STADLER) : p67, p68, p72
Wilhelm WAGENFELD : p71, p③
Marianne BRANDT : p71, p77

©The Josef and Anni Albers Foundation / JASPAR, Tokyo, 2021 E4080 : p54

*掲載図版の中に、連絡先などが不明のため、ご所蔵者に掲載許可を得ていないものがありますが、本書論述の参考図版として必要なものであるため、掲載させていただきました。ご所蔵者についてご存知の方がありましたら、ご一報ください。

DR
Theodor Bogler / 1897-1968
Heinrich-Siegfried Bormann / 1909-1982
Karl Cieluszek / 1909-1989
Karl Hermann Haupt / 1904-1983
Peter Keller / 1898-1982
Georg Muche / 1895-1987
Erich Mrozek / 1910-1993
Arthur Schmidt / 1908-2007

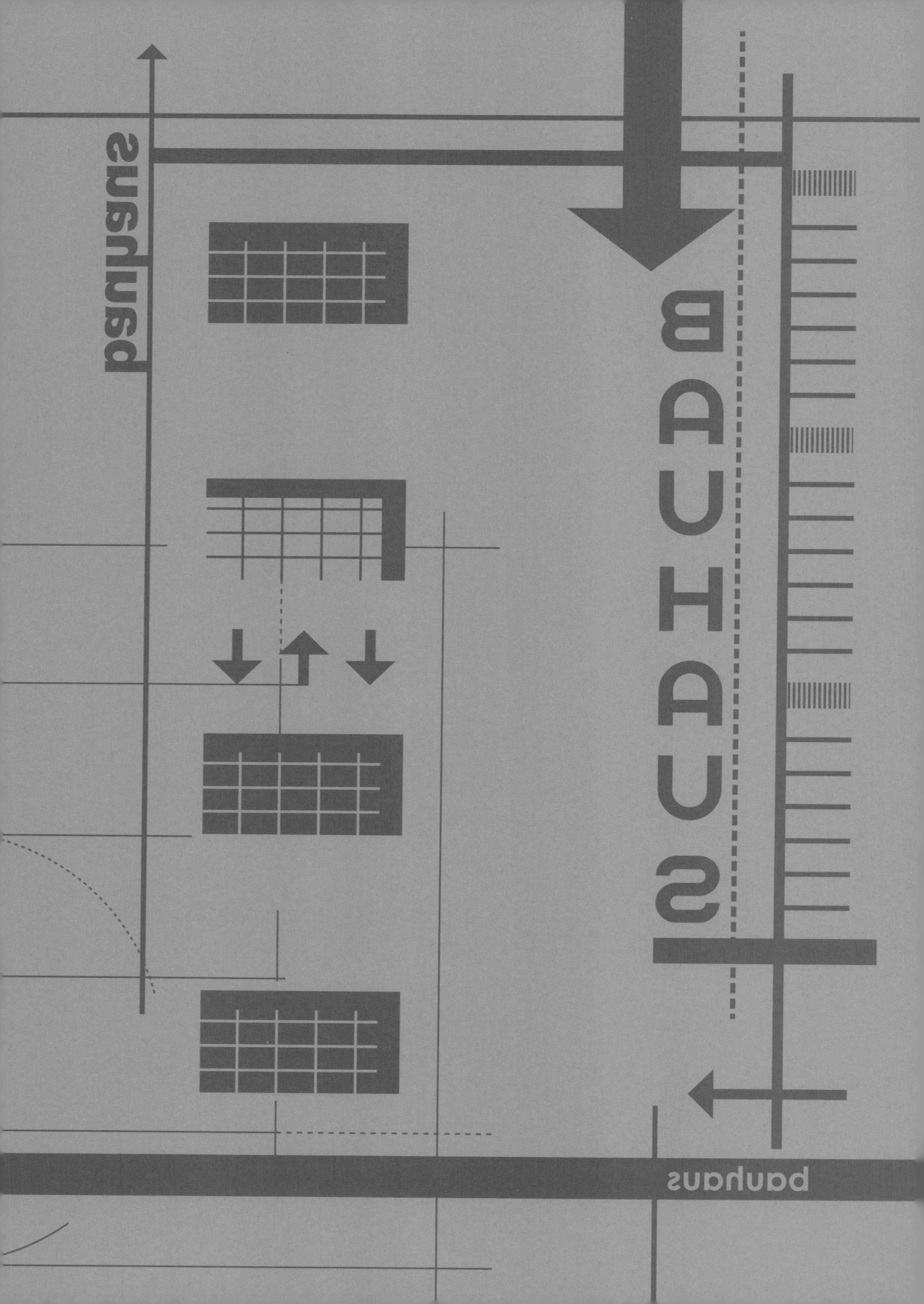
BAUHAUS
bauhaus
bauhaus

bauhauswerk,

作品が語る
バウハウスの造形

weimar
dessau
berlin

挑戦と実験精神にあふれたバウハウスの多彩な作品。
そこには、伝統や既成概念に捉われず、
ゼロから普遍的なデザインをつくろうとした
バウハウスの哲学が息づいている。
作品の背景に宿る物語をたどれば、
豊かなバウハウスのもうひとつの物語が見えてくる。

bauhausidee

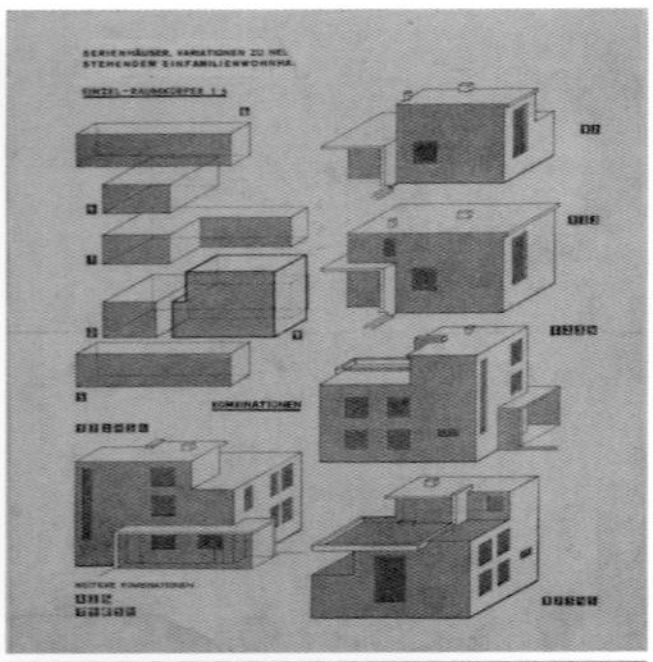

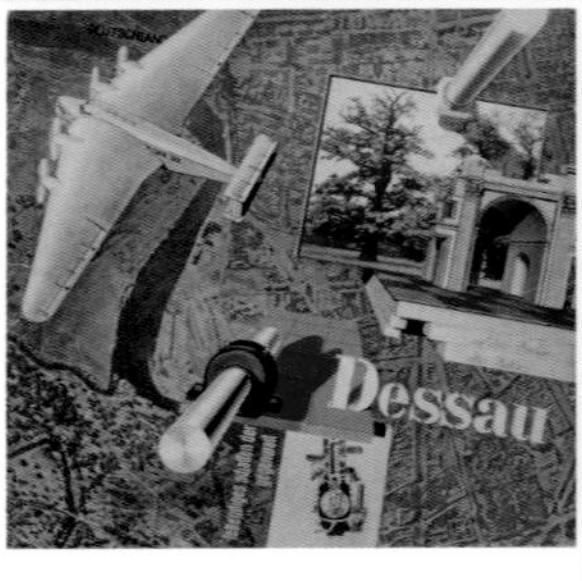

klubsessel B3 wassily

クラブアームチェアB3（ワシリー）

marcel breuer, 1925

マルセル・ブロイヤー、1925年

デザイン：1925年、製造：1928-29年、スタンダードメーベル社
スティールパイプ、牛皮　73×73×69cm
ミサワ バウハウス コレクション蔵

自転車のフレームから着想を得た名作チェアの名前の由来

学長グロピウスに呼び戻され、デッサウに移転した新生バウハウスのユングマイスターとして、家具工房の指導を担当することになった時、ブロイヤー（62頁）はまだ23歳だった。彼はその時新しい金属家具の構想を持っていた。それは、自転車からインスピレーションを得たものだ。デッサウ市内で、買ったばかりのアドラー製の自転車を乗り回している時に気づいたのだ。ハンドルの部分が綺麗に曲げられていることに。中空のパイプを潰さずに曲げられること、スチールパイプのフレームが、自分の体重をいとも簡単に支えていることに気づいた彼は、椅子のフレームに利用できるのではないかと考えた。彼の理想は、軽い椅子だったからだ。そしてもうひとつ、彼はこの椅子を、既製品の材料として流通しているパイプからつくろうとした。自分の自転車のパイプの径と同じパイプを求めたのは、それが確実に流通していることがわかっていたからだ。

試行錯誤の末に最初の鋼管《こうかん》椅子ができ、1926年1月に初めて展示された時、ブロイヤーは不安だった。このような冷たい機械のような椅子が世間に受け入れられるとは思えなかったからだ。だから、古参のマイスターであるワシリー・カンディンスキーがすぐさまこの椅子を高く評価し、注文のリストに一番に名を書き入れてくれたという事実は、ブロイヤーを大いに勇気づけたに違いない。後年、イタリアのガヴィーナ社によってこの椅子の復刻が決まった際、愛称をつけようと言われたブロイヤーが選んだのは、この恩師の名前だったのだから。

fett-mager-sauciére mit untersatz

グレーヴィ・ポット

wilhelm wagenfeld, 1924

ヴィルヘルム・ヴァーゲンフェルト、1924年

銀、黒檀　15.8×17.8×12.5cm
ミサワ バウハウス コレクション蔵

グレーヴィとは肉汁のこと。グレーヴィソースを入れて食卓で肉料理をサーヴするためのポットである。大小2つの注ぎ口が特徴的で目を引くが、これはデザイン的なポイントとして2つあるのではなく、機能から導き出された必然的な形なのだ。

肉を焼いたあと、肉汁にワインや調味料を加えてつくったグレーヴィソースには、油分が多く含まれる。このポットにソースを入れて少し待つ。そして、あっさりとしたソースが好きな人は大きい注ぎ口を使い、油分の多いソースが好きなら小さい方から注ぐのだ。これは、油分が上に分離する性質を利用して、注ぎ口の開口部を上下に設けたから。好みの異なるソースをこの器ひとつでサーヴできる。簡単かつ秀逸なアイデアだ。

装飾もなく、これ以上ないくらいに単純化された形態でありながら、強い印象を与えるデザインはバウハウスならでは。円柱の本体、三角形の注ぎ口、円形の受け皿は叩き出しの目をかすかに残した柔らかみのある洋銀製。持ち手やふたのつまみの黒檀も幾何学形を使い、一見そっけないが、小さい面積でも視覚的な引き締めの役割を充分に果たしている。ヴィルヘルム・ヴァーゲンフェルトのデザインにはこの2つの注ぎ口を持つグレーヴィ・ポットのヴァリエーションが幾つかあり、これはもっとも単純な形態のもの。グレーヴィ・ポットは彼にとって取り組み甲斐のある課題だったのだろう。

機能から導き出されたシンプルでありながら、印象的なデザイン

papiermark
緊急紙幣

herbert bayer, 1923
ヘルベルト・バイヤー、1923年
オフセット　各6.2×14cm
ミサワ バウハウス コレクション蔵

23歳の学生がつくった本物の紙幣

ゼロがずらりと並ぶ数字。まるでゲームの紙幣のように素っ気ないが、1923年にドイツで実際に紙幣として使われていた。100万マルク、200万マルク、そして1億マルク、5億マルクもある。当時のドイツは敗戦によって天文学的な賠償金を科せられて困窮し、1922年頃から激しいインフレーションに苦しんだ。世界史の教科書に必ず載っているこのインフレは、1919年1月に1ドル＝8.9マルクだったものが、ピークの1923年11月には1ドル＝4兆2000億マルクへと、マルクの価値が大暴落する凄まじいもので、しまいにはパン1斤買うのに何兆マルクもの金が必要となった。1時間ごとに変わっていく為替相場は予測がつかず「金マルクと暗号数の掛け算」などと揶揄されたほどだった。中央銀行による通貨の供給では足りず、ドイツ政府は緊急措置として各地の地方政府からも高額紙幣を発行することを許し、さまざまなデザインの紙幣が発行されたのだ。

チューリンゲン州政府は、緊急紙幣のデザインをバウハウスに依頼した。まだ学生だったバイヤー（56頁）が担当したのがこの紙幣である。肖像画などの絵柄もなく、色も黒ともう1色のみの使用というシンプル極まりないデザインだが、文字と数字の組み合わせだけでヴァリエーションをつくり出している。他州の緊急紙幣と並べた時、バイヤーによるこのデザインの近代性が際立つ。

1923年11月に通貨の切り替えによって天文学的なインフレは収束したため、この紙幣が通用した期間は大変短かった。しかしこの紙幣は23歳の若者だったバイヤーのデザインの力をはっきりと示し続けている。

lichtskulptur

光の彫刻

heinz loew/edmund collein, um 1930

ハインツ・レーヴとエドムント・コルライン、1930年頃

写真　ミサワ バウハウス コレクション蔵

ひとつの簡単な装置（左端）。針金の輪と斜めに設置した鉄の棒は、回転させることで、球と一葉双曲面（回転双曲面）という新たな形を私たちに見せる（中央→右端）。とりわけまっすぐな棒が描く曲面は神秘的にさえ映る。これは、彫刻工房の学生による実験である。

バウハウスの彫刻工房は、ヴァイマールの時代には伝統的な木彫と石彫の技法を学ぶ工房だったが、デッサウ移転時の1925年にヨースト・シュミット（60頁）が教鞭をとるようになって大きく変わった。通常の彫刻作品の制作から離れ、3次元における形態、空間におけるモノとモノ、モノと人との関係を研究するようになったのだ。

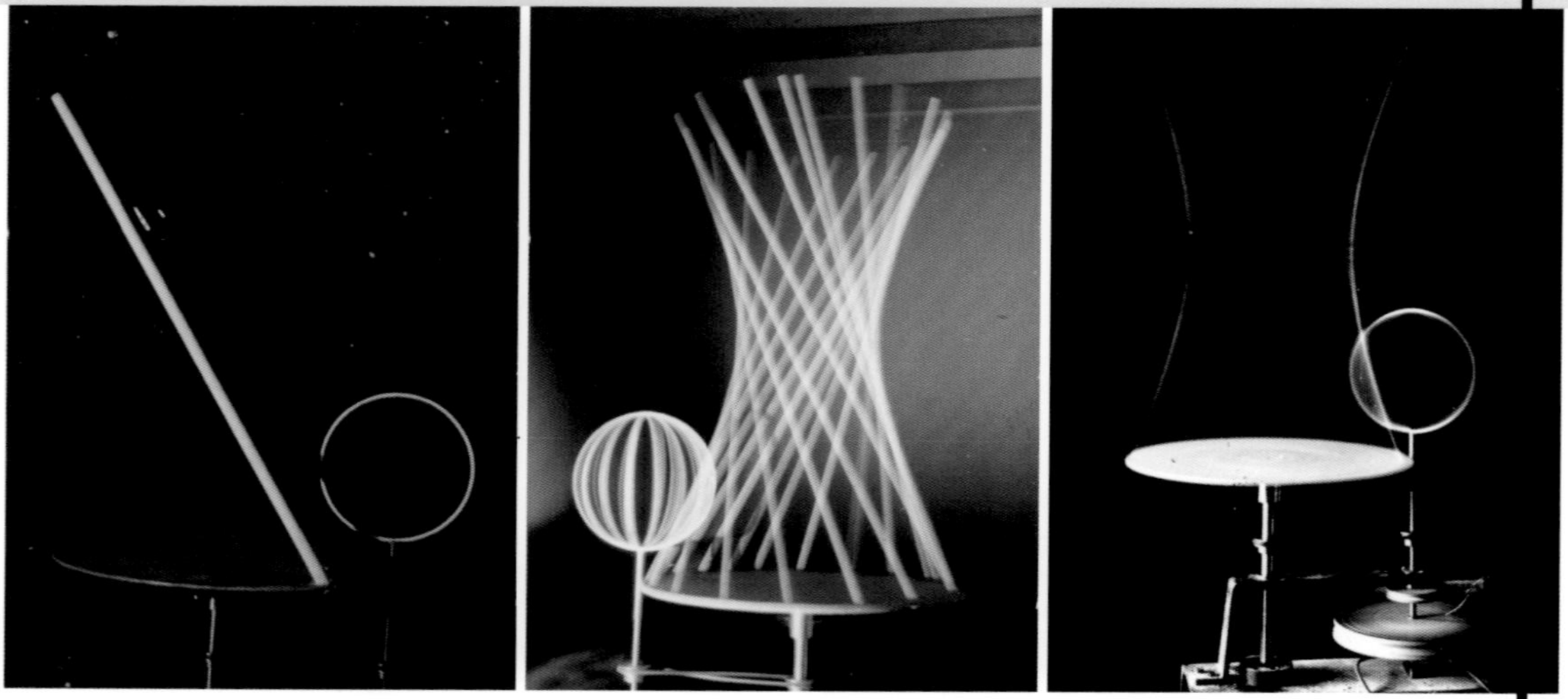

シュミットは彫刻工房を、基礎教育課程を補完する基礎研究の場と位置づけ、さまざまな試みを行なった。立体のねじれ、鏡像、回転などが熱心に取り上げられ、研究された。この作品もそのひとつである。物体を回転させることで見える立体は、私たちの視覚の中にのみ存在するだけで、回転を止めれば失われてしまう。実態はない、はかないものであり、まさに光の彫刻だ。しかし、回転中に一方から強い光を当てて撮影することによって、この幻めいた現象は写真として固定される。仕組みは大変シンプル。しかし美しく、興味を引き、造形基礎研究や知覚の問題にも関わる奥の深いテーマである。そしてなによりも、誰もが気軽に試して新たな知の世界に触れることができるのが素晴らしい。バウハウスらしい実験の楽しさがあふれている。

美しくもはかない
光の彫刻が見せる
新たな知の世界

bauhaus-schachspiel, typ16

バウハウス-チェスセット（タイプ16）

josef hartwig, 1924

ヨゼフ・ハルトヴィッヒ、1924年

木　箱 12.7×12.7×6cm
ミサワ バウハウス コレクション蔵

チェスの駒といえば、普通は馬や王冠などの形をイメージするが、バウハウスのチェス駒は立方体、球、そして対角線だ。木彫・石彫工房で技術を教えたヨゼフ・ハルトヴィッヒのデザインである。意味のない抽象的なデザインに見えながら、実は、駒の動きと強さを視覚化している。つまり、この駒たちは自ら動き方を教えているのだ。

例えば小さな立方体のポーンは真っ直ぐ1マスずつ。X形はビショップで、斜めに進む。秀逸なのはナイト。立方体の一角を小さな立方体が穿った形は、どの面を見ても動きの軌跡であるL型をしている。キングは上にのった立方体が斜めにも動けることを示し、クイーンの球は自由度の象徴だ。さらに、高さとヴォリュームは駒の戦力としての価値を表す。

チェスは相手の王を倒すことをめざす、戦争をイメージさせるゲームだが、第一次世界大戦を経験したハルトヴィッヒは、チェスから戦争の色を消し、純粋なゲームにするために象徴的な馬や塔の形を幾何学に置き換えたという。彼は1922年に最初のチェスセットを制作し、その後もこの課題に粘り強く取り組み続けた。1924年のタイプ16は、その最終形であり、現在スイスのネフ社でつくられているヴァージョンでもある。試作を重ねるほどに形態が純化し、まるで生物の進化のように成長し続けてたどり着いた無駄のない形は、ハルトヴィッヒの平和への想いでもあるのだ。

幾何学的な形のチェスの駒に込められた平和への想い

das triadische ballet

トリアディック・バレエ

oskar schlemmer, 1922

オスカー・シュレンマー、1922年（初演）

Stage Archive Oskar Schlemmer, C.Raman Schlemmer Collection.

トリアディック・バレエは、シュレンマー（34頁）の代表作であり、1922年9月にシュトゥットガルトの州立劇場で初演され、翌1923年にバウハウス展で披露された。

ここでは3が重要な意味を持ち、3と3の倍数が繰り返されているのがわかる。3人（2人の男性と1人の女性）の踊り手によって、3幕に分けられた12の踊りが、18の衣装で演じられる。第1幕は黄色で「道化的かつ絵画的」、第2幕はバラ色で「まじめで陽気」、3幕目は黒で「英雄的かつ記念碑的」と定義された。

Photo:©President and Fellows of Harvard College

現代も影響を与え続ける実験的な舞台芸術

シュレンマーは舞台芸術を、建築と同様に空間から生じ諸芸術を統合するものと捉え、それまでにない実験的な作品をつくり続けた。中でもこの作品は衣装の奇抜さで群を抜いているが、衣装は副次的なものではなく、まさにすべてを規定しバレエの中心的な役割を果たしている。踊り手の動きを厳しく限定するような幾何学的なコスチュームが、通常とは全く逆に振り付けと音楽を導くのである。例えば腕が衣装に覆われ隠されている踊り手は、腕の表現を禁じられているとみることができる。

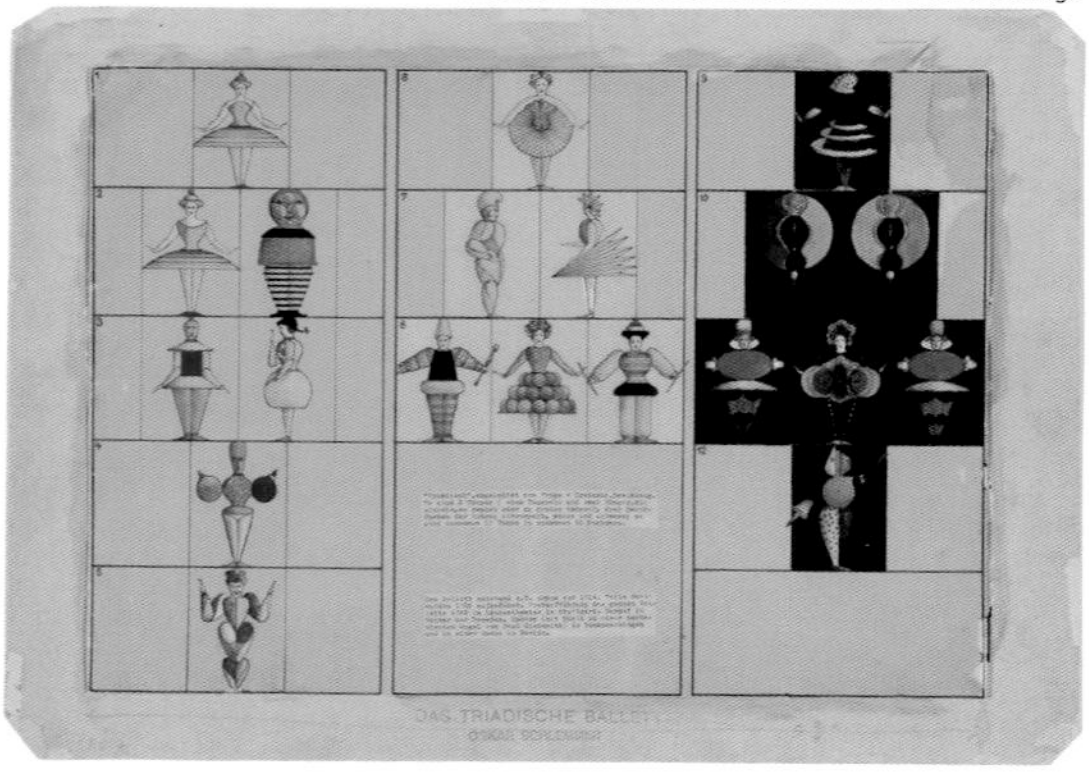

トリアディック・バレエの衣装デザイン
インク、水彩、メタリックペイント、鉛筆　38.6×53.7cm
ハーバード大学ブッシュ・ライジンガー美術館蔵

現在でも前衛的なこのバレエは、いまだに舞台芸術だけでなくファッションやキャラクター造形などさまざまなジャンルの人々にインスピレーションを与え続けている。ドイツでは、衣装を再現し振り付けや音楽を新たに創作したトリアディック・バレエが何度も上演されており、1980年代には東京での公演も実現した。

werbekarte “bauhaus polytex”

ポリテックス社「バウハウス・テキスタイル」パンフレット表紙

stefan schwartz, 1930

シュテファン・シュヴァルツ、1930年

凸版印刷　15.2×16cm

ミサワ バウハウス コレクション蔵

バウハウス織物工房は手の込んだ手織の一品物の制作から始め、しだいに量産のためのデザインに取り組むようになった。カーテン、壁張り用布、椅子の張り地、テーブルセンターなど、室内用の布地を意識することによって、それまでの派手な色の組み合わせが変わっていく。近代的な住空

間に調和するように、色を抑え、素材感を活かした織地の展開が行なわれたのである。これらは機械織のためのデザインだったが、見本は工房で手織で制作された。バウハウスと契約したポリテックス社は、織物工房の織見本と仕様書を購入し、「バウハウス」というブランド名で布地を生産販売した。

印刷広告工房の創意工夫

バウハウス・テキスタイルのパンフレットはバウハウスの印刷広告工房で手掛けられた。このパンフレットの表紙を担当したシュテファン・シュヴァルツは、あらかじめ「bauhaus」の文字を印刷した紙の上に目の粗い布を置いて写真を撮り、その写真に「polytex」の文字を重ねている（右）。裏表紙にはまた別の、織地が特徴的な布のアップを配し、テキスタイルの魅力をシンプルかつ効果的に伝えた（左）。

ヴァルター・ペーターハンス（45頁）が指導する写真部門では、対象の質感までを正確に捉え再現する技術を重視しており、シュヴァルツは彼から写真技術を習得していた。最低限の文字、そしてモノトーンであることがかえって糸と織りの繊細な質感を強め、見る者の視点を織地に集中させている。

katalog "der bauhaustapete gehört die zukunft"

ラッシュ社「バウハウス壁紙」カタログ表紙

joost schmidt, 1931

ヨースト・シュミット、1931年

オフセット及び写真印刷　14.5×20.3cm　ミサワ バウハウス コレクション蔵

ラッシュ社はバウハウス壁画工房がデザインした壁紙を1929年から「バウハウス壁紙」として販売した。そのカタログを当時の印刷広告工房主任のシュミット（60頁）がデザインしたもの。そもそも壁紙の広告は難しい。壁に貼ってしまうと単に部屋の背景に見え、貼らないままの紙の状態だと壁紙だとわからない。シュミットは、この問題を金属の球を使ってスマートに解決している。室内を球の下の壁紙とともに球体に映り込ませることで壁紙を貼るべき空間を暗示し、視覚的に大きな奥行きを生み出している。壁紙のロールが対角線上に広げられることで、繊細な地模様も表現され、大きな面積で存在を主張できる。その下に、壁紙の縁に沿う形でうねりながら文字が置かれる。端が巻かれた壁紙と紙メジャーの渦巻き状形態が画面にリズムを加え、平面なのに生き生きとした立体的なイメージを与えている。

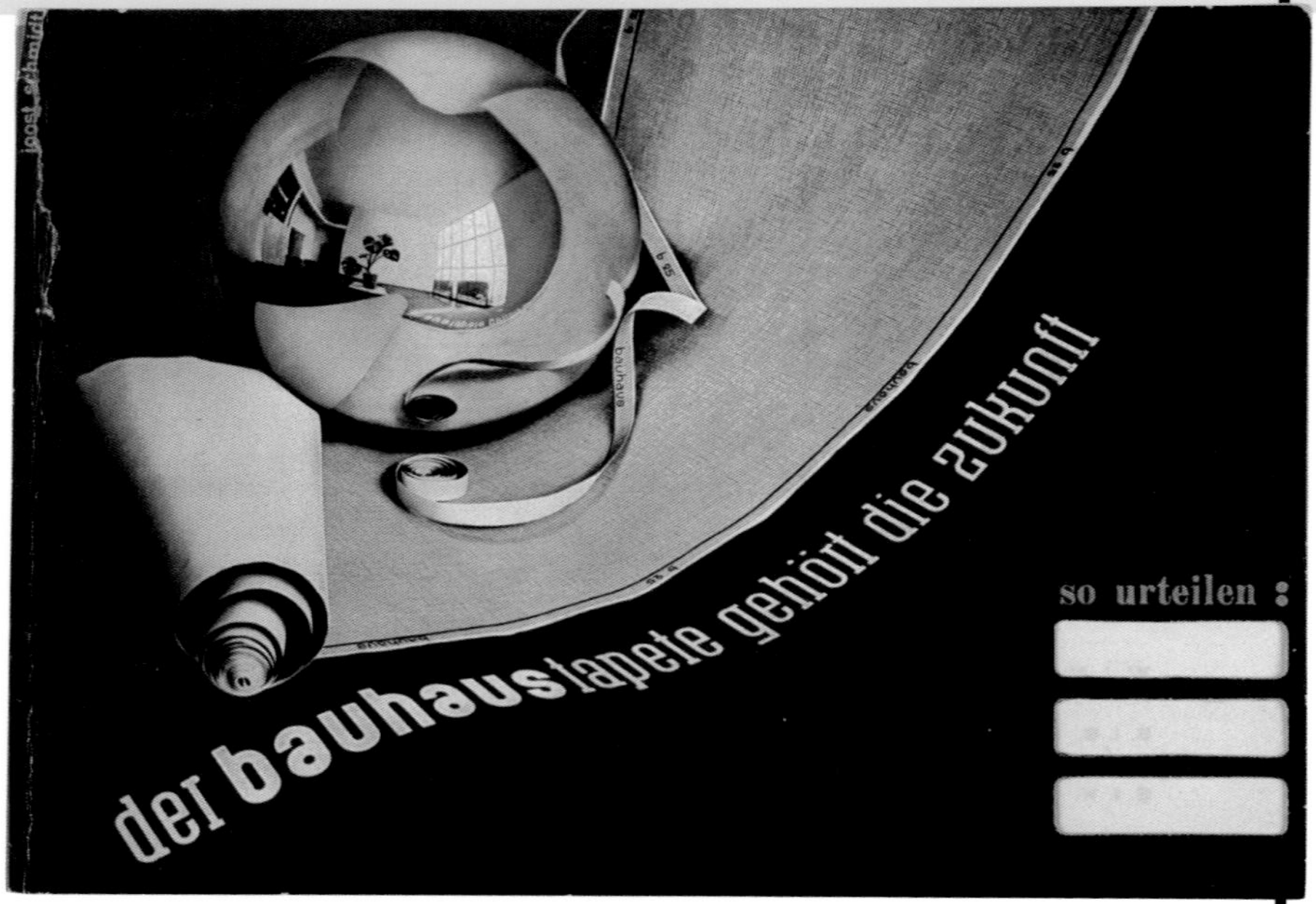

金属球に映る世界を利用した秀逸な解決策

シュミットが彫刻工房で研究したのは、空間におけるモノとモノの関係、平面での空間表現の研究だった。その成果がここに活かされているのだ。彼の研究室には雑多な研究材料があり、この金属の球はその中のひとつ。周囲が映り込む球体は、バウハウスの学生たちが好んだ被写体でもあり、さまざまな作品が残されている。それを広告に応用した本作は、極めてスマートで現代にも通じるデザインだ。ただしこのカタログ表紙のうねる文字は手描きである。コンピューターがない時代にこれを描いていることを忘れてはならない。

prospekt der stadt dessau

デッサウ市の案内パンフレット表紙、裏表紙

joost schmidt, 1931

ヨースト・シュミット、1931年

活版と凸版印刷　各23×23.5cm
ミサワ バウハウス コレクション蔵

フラットな平面性とダイナミックな三次元的視点

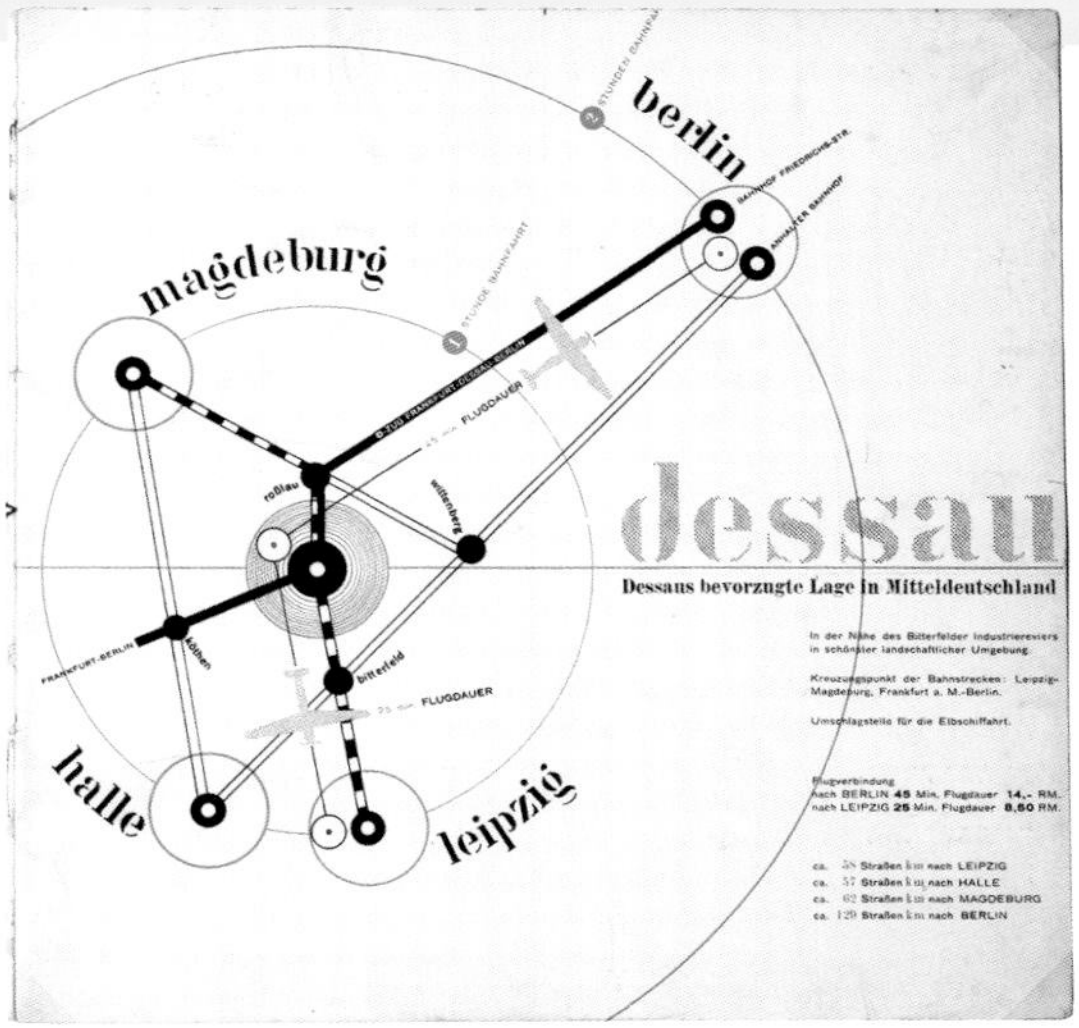

表紙

裏表紙

デッサウ市からの依頼で印刷広告工房のヨースト・シュミットがデザインした案内パンフレット。黒と赤の2色しか使っていないが、バウハウスがよく採用している朱色に近い黄味の強い赤が非常に効果的に使われている。1926年にも当時の印刷広告工房の主任であったヘルベルト・バイヤー(56頁)がデッサウ市のパンフレットをデザインしており、その際の色使いを踏襲しながら、シュミットは判型を長方形から正方形に変え、彼独自のアプローチを見せた。

表紙ではデッサウ市を中心に、周囲の都市との位置関係を単純化した交通地図で紹介。裏表紙は打って変わって、デッサウ市を俯瞰し、その上に工業都市デッサウを代表するユンカースの飛行機や、ヴェルリッツの庭園王国、古い文化を示す城や新しい技術を象徴するものを宙に浮かせている。さらなる高みから見下ろしているようなこの視点は、シュミットが1925年から彫刻工房で研究してきた空間におけるモノとモノ、モノと人との関係性の表現に基づいている。空間に浮かぶ物体の表現は、初期には写真で、シュミットが印刷広告工房の指導も担当するようになった1928年以降は絵画でも試みられるようになっていた。

表紙はフラットな平面性を強調し、裏表紙はダイナミックな三次元的視点を平面で表現。シュミットらしい、そしてバウハウスらしいデザインである。

der schlag gegen das bauhaus

バウハウスへの打撃

山脇巌 1932年

コラージュ、インク、紙　38.5×28.8cm
個人蔵

日本人留学生がバウハウスの終焉を刻みつけたフォト・モンタージュ

デッサウのバウハウスに不穏な影がさしていることは、学生も薄々気づいていた。1932年、デッサウにおいてもヒトラー率いる国家社会主義ドイツ労働者党（ナチス党）が台頭し、デッサウ市議会議員の半数以上をナチス党員が占めるに至っていた。そして、市議会の多数決でデッサウ・バウハウスの閉鎖が決定し、9月30日をもって解散することが夏休みに学生たちに通知されたという。その直前、1932年夏学期に制作した作品を展示する学期末の学内展覧会に、山脇巌はこのフォト・モンタージュ作品を展示する予定だった。しかし、友人に危険だと忠告されて、未発表のまま日本に持ち帰り、同年末、『国際建築』12月号に掲載した。《バウハウスへの打撃》。この作品で校舎がナチスによって蹂躙されているように、バウハウスはデッサウを追われ、その後、この校舎はナチスの事務所のひとつとなり、戦争の爆撃でガラスのカーテンウォールは無惨に破壊された。なによりも、自由な造形教育の志が踏みにじられる瞬間を、この作品は生々しく証言し続ける。

この作品に類するものは、バウハウスに全く見つからない。ナチス批判は危険すぎた。だとすれば、この作品が検閲にひっかからずにドイツを脱出できたことが奇跡であったのだろう。現在、《バウハウスへの打撃》は、バウハウスの終焉を表現する唯一の作品として、世界に知られている。

die kleine welten

版画集「小さい世界」

wassily kandinsky,1922

ワシリー・カンディンスキー、1922年

カンディンスキー（38頁）がバウハウス版画工房で制作した版画集。12点組のうち、木版、ドライポイント（銅版）、リトグラフ（石版）が各4点で、3種の技法が同じ点数制作されている。これはおもしろい構成だ。バウハウスのマイスターでは、リオネル・ファイニンガーとゲアハルト・マルクスが木版を、クレーはエッチング（腐蝕銅版）やリトグラフを、といった具合にそれぞれ得意な版画技法があるが、カンディンスキーはあえて3種でこの版画集を構成していることがわかるからである。

彼はバウハウス叢書第9巻『点と線から面へ』の中で、版画を取り上げ、木版画、エッチング、リトグラフの技法の違いを点・線・面の表現から説明している。例えば、凹版であるエッチングでは、へこんだ部分にインクを詰めて刷る。したがって点や線の表現は深く彫り込めばよいので容易にできる。しかし、木版画では難しい仕事だ。線1本を残して周囲を広く削り取らなければならないからである。反対に木版が得意とするのは面の表現。一方、石版画では点も線も面も容易に版画の上につくることができる。

これらを頭に入れてこの版画集を見ると、この12点が作品であると同時に良質の教材であるということがわかるだろう。「版画」という言葉でひと括りにされる技法の違いを、点・線・面というキーワードで明確に浮かび上がらせ、同時にこの3つの要素の性質も理解できるのだ。

《小さい世界Ｉ》
リトグラフ　35.7×27.8cm
ミサワ バウハウス コレクション蔵

3種の版画の違いを点・線・面で表現したカンディンスキーの贅沢すぎる教材

《小さい世界Ⅴ》木版　36×27.7cm　ミサワ バウハウス コレクション蔵

《小さい世界Ⅸ》
ドライポイント
30.4×26.8cm
ミサワ バウハウス コレクション蔵

versuchshaus am horn

アム・ホルンの実験住宅

georg muche, 1923

ゲオルク・ムッヘ、1923年

1923年、バウハウスの初めての大規模な展示会「バウハウス展」（46頁）のために建てられた実験住宅。学生はもちろん学長グロピウスまでが参加した学内コンペで採用されたのは、マイスターのひとりである画家ムッヘ（32頁）の一世帯用住居の計画だった。

現在は「ヴァイマール、デッサウ及びベルナウのバウハウスとその関連遺産群」のひとつとして世界遺産に登録されているアム・ホルンの実験住宅。

学内で注目を集めた白い立方体の実験住宅

バウハウスは建築を最終目標にすえていたものの、初期には建築の授業はまだなく、建築を志す若者たちにとって、実験住宅の建設は大きな夢だった。この当時、学生たちの住居を確保するために、バウハウス・ジードルンク（住宅団地）の計画が熱心に進められていたが、土地や建築許可の問題が立ちはだかり頓挫していたので、なおさらこの住宅は学内で注目を集めるプロジェクトだったのだ。

この住宅は、トップライト式の正方形の大きな居間を中心に、廊下を設けず、周りに寝室、キッチン、食堂、子ども部屋、客用寝室などの小さい部屋を配していた。例えば、「食堂は食事ができればよいのだ」というムッヘの言葉からわかるように、周りの部屋は機能が果たせればよいと割り切ってできる限り小さくし、その分を居間に割り当てている。周囲の部屋と居間は天井高も全く異なるため、小さな部屋から吹き抜けの居間に入ると、明るく開放的な空間がドラマティックに広がった。ムッヘは家族が自然に居間に集まってくるような住宅をつくったのだ。

インテリア及び家具の製作は家具工房が行ない、敷物などを織物工房が、照明器具を金属工房が、量産用の台所用容器を陶器工房がそれぞれ製作した。門扉もバウハウスの学生がデザインし、制作したものだった。

装飾を廃した白い立方体の外観は当時の周囲の住宅と比べてあまりにも新奇に映った。とりわけほとんど屋根の傾斜

左／キッチンの流し台、戸棚、作業台。右／居間と天井の低いニッチ。
バウハウス叢書第3巻 アドルフ・マイヤー編『バウハウスの実験住宅』所収

バウハウスの各工房の最新の素材と技術が結集した斬新な住宅

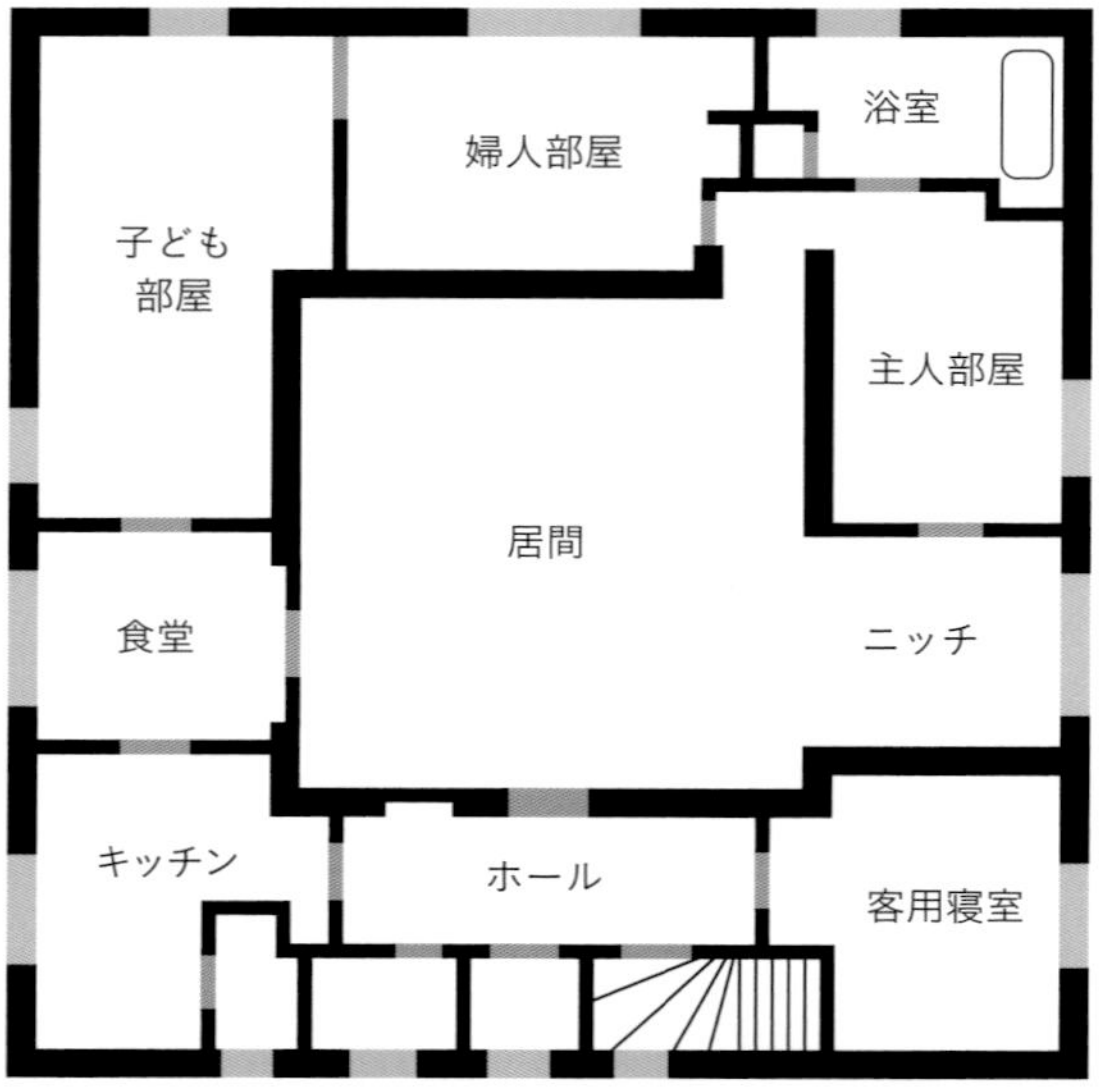

実験住宅の間取り

がないことが問題だった。「白モルタルのサイコロ」、「北極基地」といった、あまりよろしくないあだ名がついたことで、逆に、私たちにもこの住宅が当時いかに新しかったかがわかる。ある部屋に行くためには別の部屋を通る必要があるなど、細部の問題が指摘されたが、全体としては好意的に受け止められた。とりわけコンパクトで機能的なキッチンや、子どもの活動に即してデザインされた子ども部屋（69頁）、子どもの様子が常に把握できる主婦の動線を確保した間取りは評価が高かった。

最新の素材と技術を用いたこの住宅は、1925年にバウハウス叢書の1冊として詳細に紹介されたのち、普通の住宅として改修を重ねながら使われてきたが、現在では元の姿に戻されて一般公開されている。

bauhausgebäude, dessau

デッサウ・バウハウス校舎

walter gropius, 1926
ヴァルター・グロピウス、1926年

新しい時代の到来を告げるバウハウスの学び舎

ヴァイマールからデッサウに移転したバウハウスは、1925年10月から仮校舎で授業を開始し、翌年12月には新校舎の落成式を大々的に行なった。学長グロピウス設計のこの建物は、それ以来、造形学校バウハウスの象徴的存在として、この学校のめざす新しいデザインの方向を人々に示し続けた。

古典的な建築の正面が、中心軸に対して左右対称の形態であるのに対し、グロピウスは意図的にそれを避け、機能によって分けられた3つの翼（工房棟、技術学校棟、アトリエ棟）が緩やかにつながる左右非対称の建物を計画した。南北を走るフリードリヒ通りから見て左の技術学校棟と、ガラスのカーテンウォールでひと際目を引く右の工房棟とは、上方のブリッジで道路をまたいでつながっている。アトリエ棟と工房棟をつなぐのは講堂、舞台、食堂であり、これらの部屋は仕切りをとることで大空間に変わる。

これら建物全体の正面というものはなく、全体を知るには建築の周囲を回って歩かなければならない。グロピウスは、この建物の航空写真を好んだ。鳥瞰して初めて、校舎全体の構成がよくわかるからだった。

外観の新しさだけでなく、材料と建設方法についても、この校舎は最新のものを取り入れた。また、これまでのバウハウスの成果の結集として、家具は家具工房を率いるマルセル・ブロイヤーの設計、照明器具は金属工房、色彩計画と塗装は壁画工房が行ない、工房棟南面の文字などは、印刷広告工房が手掛けた。

当時この建物をひと目見た者は誰でも、新しい時代の到来を意識せざるを得なかった。そのくらい新しかったのだ。特にあかりの灯る夜間には、工房棟は巨大な光の箱のように見えた。大変フォトジェニックな建築であり、ルチア・モホリによる公式な写真がよく知られているほか、バウハウスの人々が数々の魅力的な写真を残している。その後の学校建築のお手本となったこの建物は、ほかのバウハウス関連建築物とともに1996年にユネスコの世界遺産に認定された。

baukasten großen

「大きな積み木箱」ユニット住宅の構想

walter gropius, 1922

ヴァルター・グロピウス、1922年

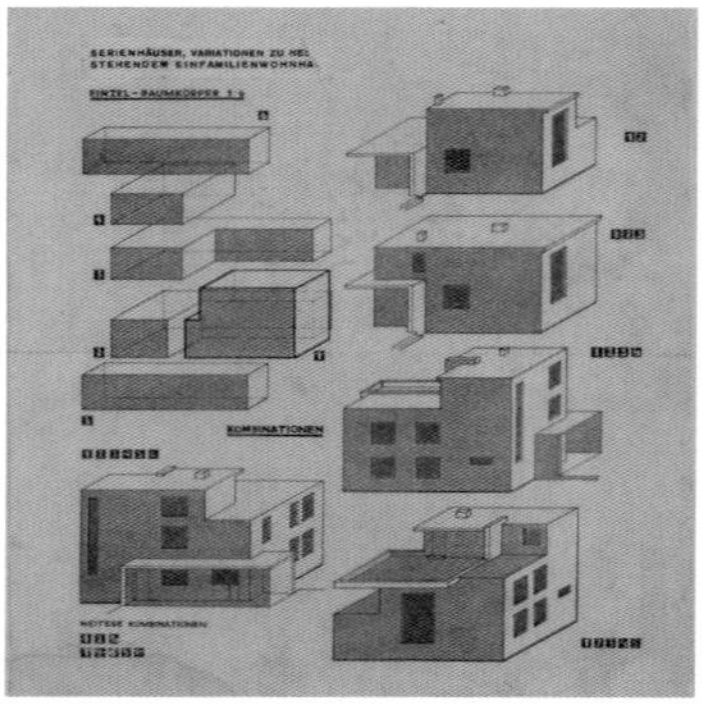

バウハウス叢書第3巻 アドルフ・マイヤー編『バウハウスの実験住宅』所収（2点とも）

夫婦２人から大家族まで――グロピウスが構想した最大限の規格化最大限の変化

6つのユニットからなる住宅の構想。居間ユニットは吹き抜けで天井が高く、それに水回りのユニットを足したものが一番小さな住宅だ（右模型）。2階に部屋を足し、前面に、その上にと住み手の人数や条件に伴って、どんどんユニットを足していくことで、夫婦2人から大家族、事務所付き住宅にまで対応できる。まるで積み木を積んでいくように見える、「大きな積み木箱」の設計案である。

これはユニットを追加して増築に対応するものではなく、あくまで同じユニット、同じ部材を組み合わせて何種類もの住宅を供給することで、工期短縮、低コストを実現するものだ。私たち日本人にとってこのアイデアがあまり画期的に思えないのは、日本の住宅が古くから、襖や障子、畳といった部材のサイズを地域で統一して量産できるようにしてきたから。しかし石や煉瓦を積むようなヨーロッパの住宅では、部材の規格サイズというものはなかった。２軒の住宅の材料の寸法が異なるのは稀ではなかったのだ。ユニット化は当時はまだまだ実現不可能だったが、まずは部材の寸法を統一することでも量産が可能となりコストダウンにつながる。それは大きな意味があった。

グロピウスはこの構想を1910年頃から持っており、当時は住宅会社をつくる計画すらあった。彼の最終目標は、最大限の規格化と最大限の変化とを一体化させることだった。建築費を大幅に節約し、同時に個性を失わないこと。これは、工業化を進めようとする際、常に問題になっていたことでもあった。

グロピウスはこの構想を1923年のバウハウス展における「国際建築展」で発表した。この住宅案は残念ながら実現しなかったが、現在、ユニット住宅は実現している。そして、世界のどこよりもユニット住宅を発展させているのは日本である。グロピウスは1954年に来日し、日本の建築や、例えば着物が最大限の規格化と同時に個性を両立させていることに感銘を受け、その後の講演などで繰り返しそのことを紹介していた。彼は現在の日本におけるユニット住宅の発展をどう思うだろうか。